A-Z STRATFORD-UPON & ROYAL LEA

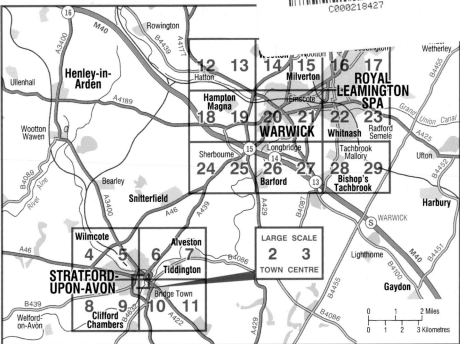

Reference

Motorway	**M40**	
A Road	A46	
B Road	B4632	
Dual Carriageway		
One Way Street		
Traffic flow on A roads is indicated by a heavy line on the driver's left. All one way streets are shown on Large Scale Pages 2 & 3		
Pedestrianized Road		
Restricted Access		
Track & Footpath		
Railway	Level Crossing — Station	
Built Up Area	CEDAR CL.	

Local Authority Boundary	— · — ·
Postcode Boundary	— — —
Map Continuation	4 / Large Scale Town Centre / 2
Car Park	P
Church or Chapel	†
Fire Station	■
Hospital	H
House Numbers A & B Roads only	22 · 48
Information Centre	i
National Grid Reference	⁴20
Police Station	▲
Post Box Large Scale only	⊠
Post Office	★

Public Telephone Large Scale only	) ·
Toilet	▽
with facilities for the Disabled	♿
Viewpoint	⋇ ☀
Educational Establishment	◥
Hospital or Health Centre	◥
Industrial Building	◥
Leisure or Recreational Facility	◥
Place of Interest	◥
Public Building	◥
Shopping Centre or Market	◥
Other Selected Buildings	◥

Scale

Pages 4-35	Large Scale Pages 2-3
1:15,840 4 inches (10.16cm) to 1 mile 6.31cm to 1km	1:3,960 16 inches (40.64cm) to 1 mile 25.4cm to 1km

0 — ¼ — ½ Mile   0 — ¼ — ½ Mile

0 — 250 — 500 — 750 Metres   0 — 250 — 500 — 750 Metres

Geographers' A-Z Map Company Limited

Head Office :
Fairfield Road, Borough Green, Sevenoaks, Kent TN15 8PP
Tel: 01732 781000
Showrooms :
44 Gray's Inn Road, London WC1X 8HX
Tel: 020 7440 9500

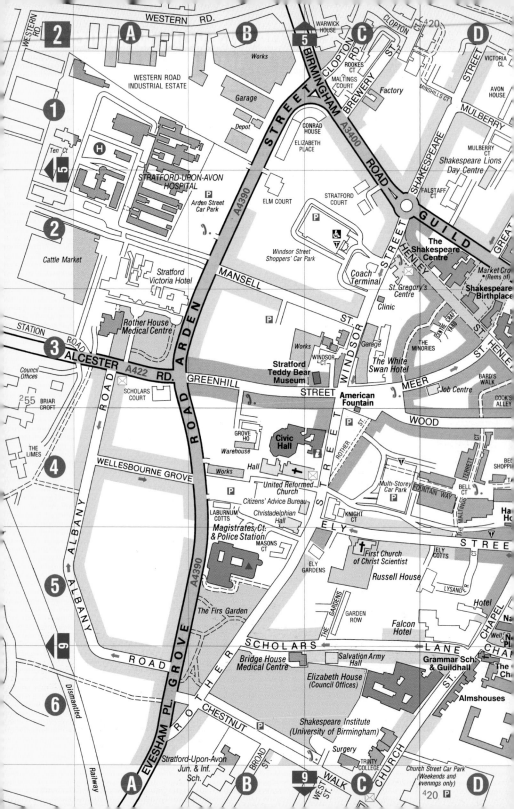

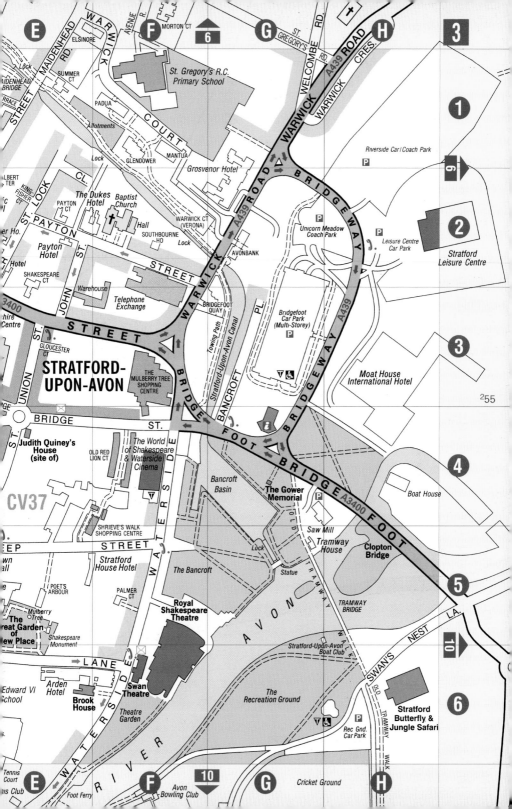

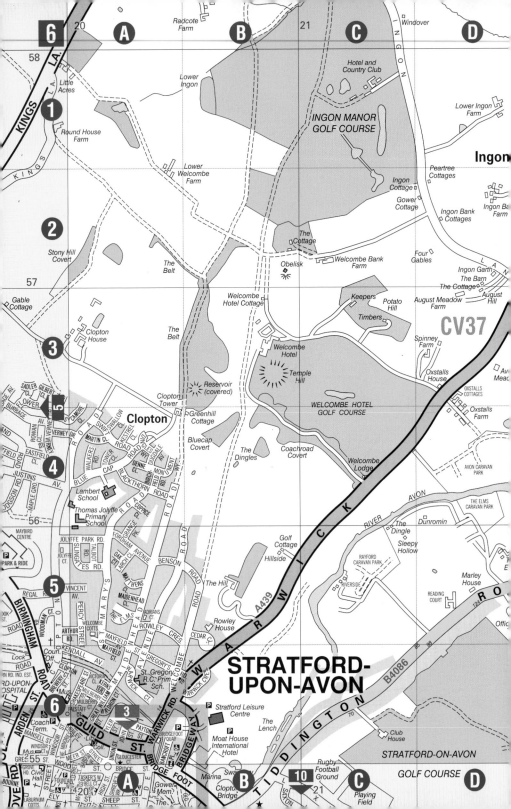

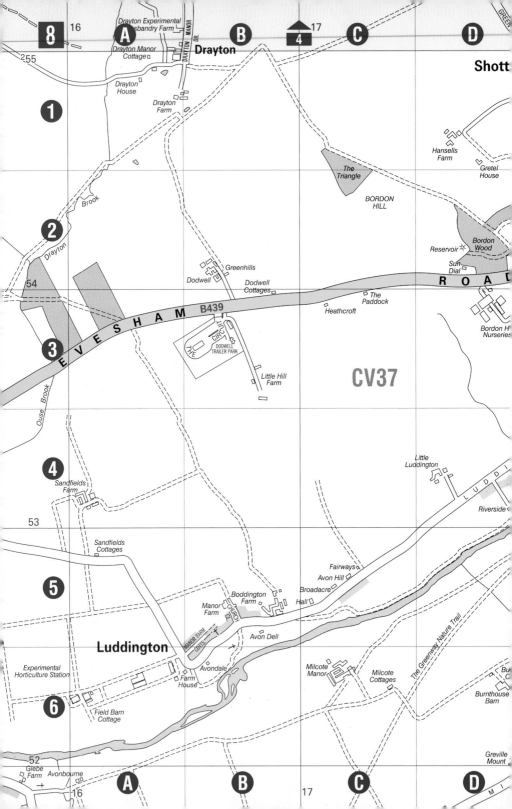

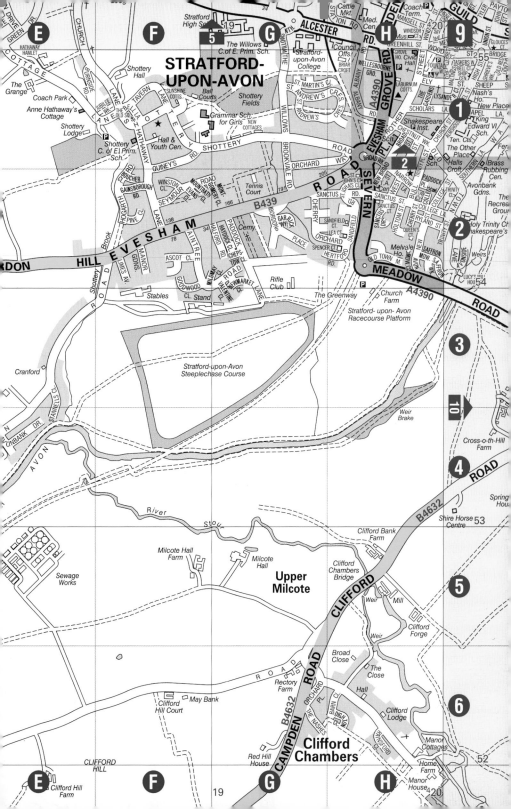

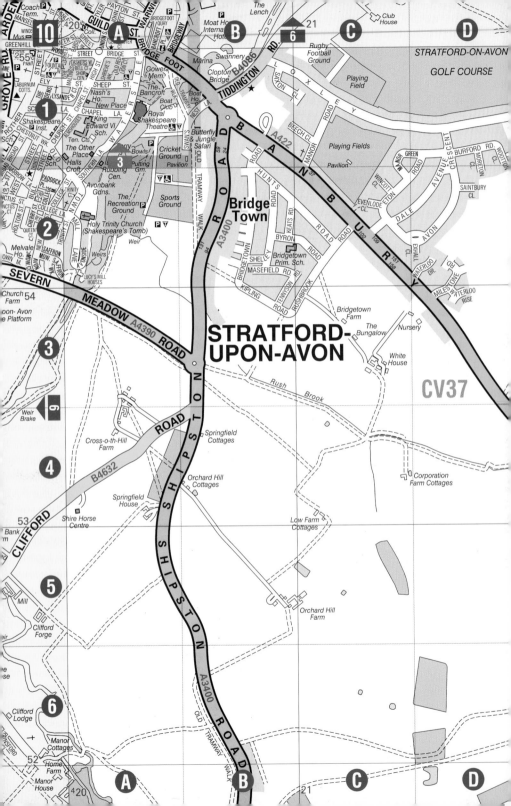

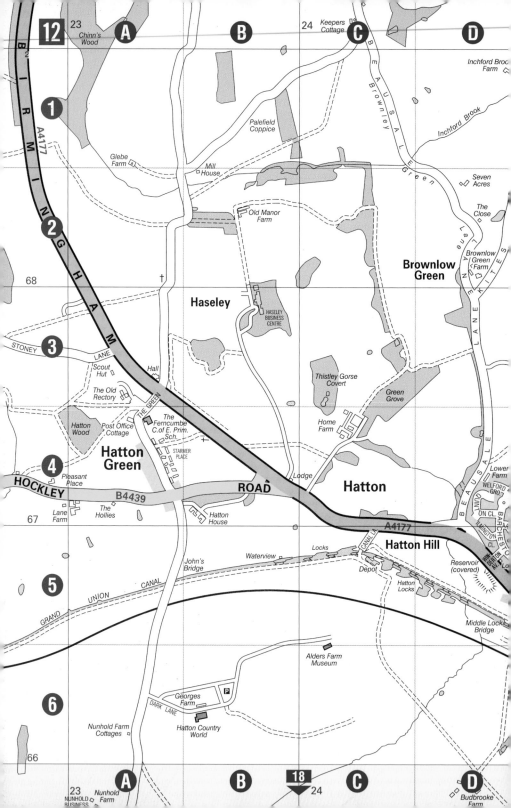

G.269st Lodg
(site of)

1

EDGNOCK

Bulloak
Farm

Deer Park
Farm

Old Park
Cottages

LANE

Larch
Covert

2

DANGER
AREA

Range
Plantation

DA

68

standing
arm

Kingstanding
Farm

Deer Park
Wood

WEDGNOCK

DEER PARK

Keepers
Cottages

Woodbine
Cottages

3

CV35

Prospect
Farm

14

Turkey
Farm

WEDGNOCK OLD PARK

4

Blackbrake Plantation

67

DRIVE

SKINGTON
CL.

DRIVE

LANE

Smith's
Covert

CHARINGWORTH

COMBRAKE

EBRINGTON

ROWBR.

TIMINGTON

DR.

WADERMINSTER
DR.

5

Wedgnock Park
Farm

Lock
House

Ugly
Bridge

Oaklands
Farm

Brookside

Lock

Locks

Great Western
Cottages

GRAND UNION CANAL

A4177   R   O   A   D

6

Warehouse

WEDGNOCK
INDUSTRIAL
ESTATE

RD.

BROXELL
INDUSTRI

66

A46

PRIVATE

Gog

Lock

Warwick

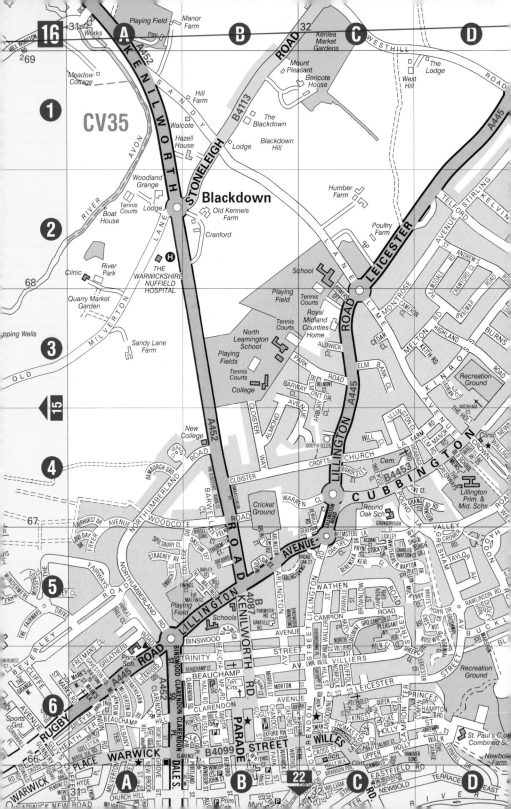

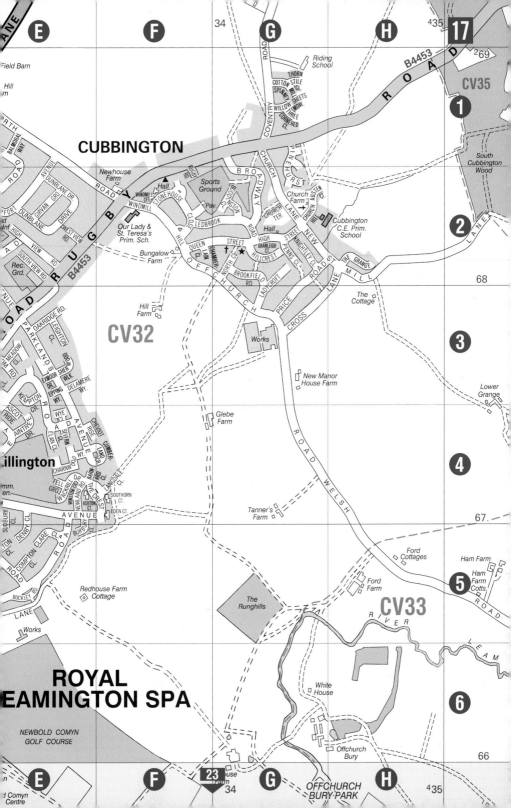

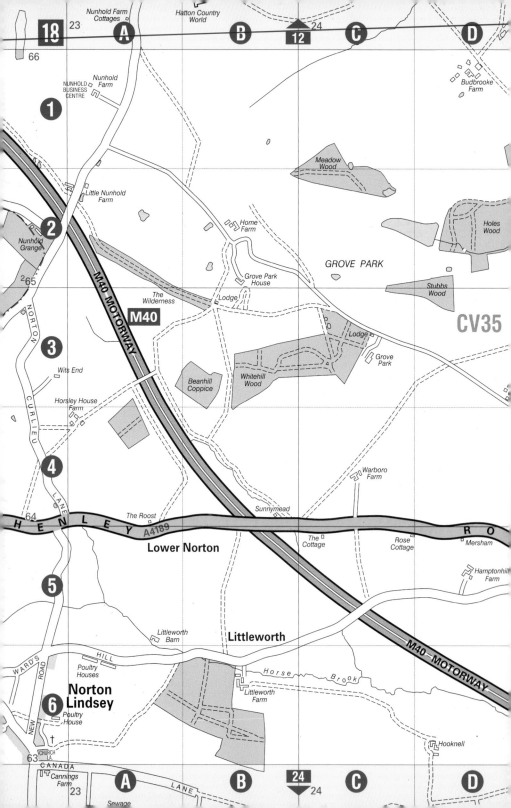

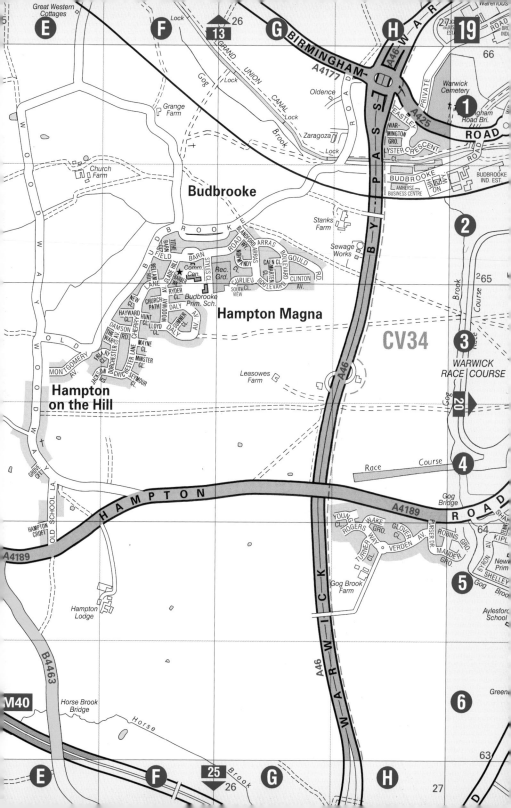

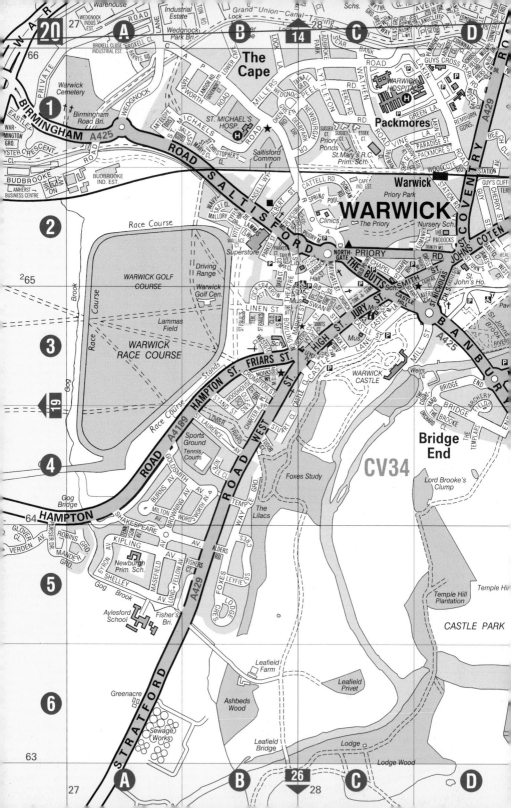

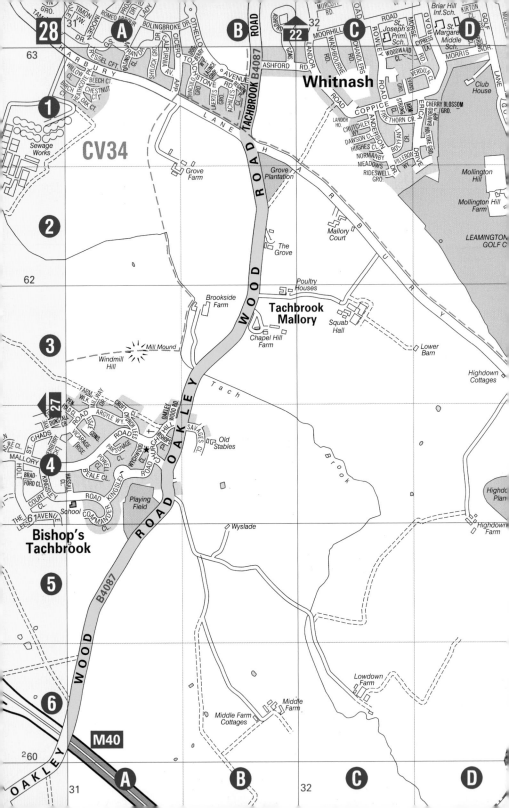

INDEX

Including Streets, Places & Areas, Industrial Estates, Selected Subsidiary Addresses and Selected Places of Interest.

HOW TO USE THIS INDEX

1. Each street name is followed by its Posttown or Postal Locality and then by its map reference;
e.g. Acacia Rd. *Lea S* —6H **15** is in the Leamington Spa Posttown and is to be found in square 6H on page **15**.
The page number being shown in bold type.
A strict alphabetical order is followed in which Av., Rd., St., etc. (though abbreviated) are read in full and as part of the street name; e.g. Ash Gro. appears after Ashford Rd. but before Ashgrove Pl.

2. Streets and a selection of Subsidiary names not shown on the Maps, appear in the index in *Italics* with the thoroughfare to which it is connected shown in brackets; e.g. *Victoria Colonade. Lea S* —2B **22** *(off Victoria Ter.)*

3. Places and areas are shown in the index in **bold type**, the map reference referring to the actual map square in which the town or area is located and not to the place name; e.g. **Alveston. —4G 7**

4. An example of a selected place of interest is Anne Hathaway's Cottage. —1E **9**

5. Map references shown in brackets; e.g. Albany Rd. *S Avon* —1H **9** (5A **2**) refer to entries that also appear on the large scale pages 2 & 3.

GENERAL ABBREVIATIONS

All : Alley	Ct : Court	Lit : Little	Rd : Road
App : Approach	Cres : Crescent	Lwr : Lower	Shop : Shopping
Arc : Arcade	Cft : Croft	Mc : Mac	S : South
Av : Avenue	Dri : Drive	Mnr : Manor	Sq : Square
Bk : Back	E : East	Mans : Mansions	Sta : Station
Boulevd : Boulevard	Embkmt : Embankment	Mkt : Market	St : Street
Bri : Bridge	Est : Estate	Mdw : Meadow	Ter : Terrace
B'way : Broadway	Fld : Field	M : Mews	Trad : Trading
Bldgs : Buildings	Gdns : Gardens	Mt : Mount	Up : Upper
Bus : Business	Gth : Garth	Mus : Museum	Va : Vale
Cvn : Caravan	Ga : Gate	N : North	Vw : View
Cen : Centre	Gt : Great	Pal : Palace	Vs : Villas
Chu : Church	Grn : Green	Pde : Parade	Vis : Visitors
Chyd : Churchyard	Gro : Grove	Pk : Park	Wlk : Walk
Circ : Circle	Ho : House	Pas : Passage	W : West
Cir : Circus	Ind : Industrial	Pl : Place	Yd : Yard
Clo : Close	Info : Information	Quad : Quadrant	
Comn : Common	Junct : Junction	Res : Residential	
Cotts : Cottages	La : Lane	Ri : Rise	

POSTTOWN AND POSTAL LOCALITY ABBREVIATIONS

A'ton : Alveston	*D'wll* : Dodwell	*Lill* : Lillington	*Syd* : Sydenham
Avon I : Avon Ind. Est.	*Guys C* : Guys Cliffe	*Lwr N* : Lower Norton	*Tach P* : Tachbrook Park
Barf : Barford	*H Lucy* : Hampton Lucy	*Ludd* : Luddington	*Tidd* : Tiddington
Beau : Beausale	*H Mag* : Hampton Magna	*N Lin* : Norton Lindsey	*Warw* : Warwick
Bis T : Bishops Tachbrook	*H Hill* : Hampton-on-the-Hill	*Off* : Offchurch	*W Avon* : Weston on Avon
B'ton : Bishopton	*Hase* : Haseley	*Old T* : Old Town	*W Weth* : Weston under
B'dwn : Blackdown	*Hatt* : Hatton	*Rad S* : Radford Semele	Wetherley
B Hill : Black Hill	*Hatt P* : Hatton Park	*Sher* : Sherbourne	*W'nsh* : Whitnash
Bud : Budbrooke	*H'cte* : Heathcote	*Shot* : Shottery	*Wilm* : Wilmcote
Char : Charlecote	*H'cte I* : Heathcote Ind. Est.	*Snitt* : Snitterfield	*Wood P* : Woodloes Park
Ches : Chesterton	*Ken* : Kenilworth	*S'lgh* : Stoneleigh	
Cliff C : Clifford Chambers	*Lea S* : Leamington Spa	*S Avon* : Stratford-upon-	
Cubb : Cubbington	*Leek W* : Leek Wootton	Avon	

INDEX

Abbots Way. *Warw* —3B **20**	Addingham Clo. *Warw*	Albany Rd. *S Avon*	Albert St. *Warw* —2B **20**
Abbotts St. *Lea S* —2B **22**	—6C **14**	—1H **9** (5A **2**)	Albert Ter. *S Avon* —2E **3**
Acacia Rd. *Lea S* —6H **15**	Adelaide Rd. *Lea S* —1A **22**	Albany Ter. *Lea S* —6A **16**	Alcester Rd. *S Avon*
Achilles Clo. *H'cte* —1B **28**	Adrians Ct. *S Avon* —5A **6**	Albert Bean Clo. *W'nsh*	—5A **4** (3A **2**)
Acorn Ct. *Lea S* —5C **16**	Aintree Dri. *Lea S* —4E **17**	—5C **22**	Alderminster Gro. *Hatt P*
Acre Clo. *W'nsh* —5C **22**	Aintree Rd. *S Avon* —2F **9**	Albert St. *Lea S* —6G **15**	—5E **13**

Alders Rd. *Warw* —5B **20**
Alderton M. *Lea S* —3E **23**
Aldwick Clo. *Lea S* —3C **16**
Alexandra Rd. *Lea S* —3C **22**
Allibone Clo. *W'nsh* —5C **22**
All Saints Rd. *Warw* —6E **15**
Almond Av. *Lea S* —3B **16**
Almond Gro. *Warw* —6E **15**
Almshouses. *S Avon*
—1A **10**
Althorpe St. *Lea S* —2C **22**
Alveston. —4G 7
Alveston Hill. —2F 11
Alveston La. *A'ton* —4F **7**
Alveston Leys. *A'ton* —3G **7**
Alveston Pastures Cotts.
A'ton —2H **11**
Alveston Pl. *Lea S* —6C **16**
Ambassador Ct. *Lea S*
—4B **16**
American Fountain. —3C **2**
Amherst Bus. Cen. *Warw*
—2H **19**
Amroth M. *Lea S* —3E **23**
Anderson Dri. *W'nsh*
—1C **28**
Anfield Ct. *Lea S* —2D **22**
Anne Hathaway's Cottage.
—1E **9**
Ansell Way. *Warw* —2B **20**
Antelope Gdns. *Warw*
—1A **20**
Antony Gardner Cres. *W'nsh*
—5C **22**
Apollo Way. *Warw* —4H **21**
Approach, The. *Lea S*
—3B **22**
Aragon Dri. *Warw* —3G **21**
Arbury Clo. *Lea S* —4C **16**
Archery Fields. *Warw*
—3D **20**
Archery Rd. *Lea S* —1A **22**
Arden Clo. *Lea S* —4D **22**
Arden Clo. *Warw* —6E **15**
Arden Clo. *Wilm* —1A **4**
Arden St. *S Avon*
—6H **5** (3A **2**)
Argyle Way. *Bis T* —4A **28**
Arley M. *Lea S* —6A **16**
Arlington Av. *Lea S* —5B **15**
Arlington Ct. *Lea S* —5B **16**
Arlington M. *Lea S* —5B **16**
Armscote Gro. *Hatt P*
—5D **12**
Armstrong Clo. *Lea S*
—1C **28**
Arncliffe Way. *Warw*
—6D **14**
Arras Boulevd. *H Mag*
—2G **19**
Artemis Dri. *Tach P* —4H **21**
Arthur Rd. *S Avon* —5H **5**
Arundel Clo. *Warw* —1D **20**
Ascot Clo. *S Avon* —2F **9**
Ascot Ride. *Lea S* —4E **17**
Ashford Gdns. *W'nsh*
—6B **22**
Ashford Rd. *W'nsh* —1B **28**
Ash Gro. *S Avon* —4G **5**
Ashgrove Pl. *Lea S* —2C **22**

Ashley Cres. *Warw* —3F **21**
Ashton Ct. *Lea S* —4E **17**
Astley Clo. *Lea S* —5H **15**
Aston Cantlow Rd. *Wilm*
—1A **4**
Athena Dri. *Tach P* —4H **21**
Augusta Pl. *Lea S* —1B **22**
Austen Ct. *Cubb* —2G **17**
Austin Edwards Dri. *Warw*
—1F **21**
Austwick Clo. *Warw* —6C **14**
Avenue Farm. *S Avon*
—5G **5**
Avenue Farm Ind. Est.
S Avon —5G **5**
Avenue Rd. *Lea S* —2A **22**
Avenue Rd. *S Avon*
—6A **6** (1F **3**)
Avenue, The. *B'ton* —4F **5**
Avery Ct. *Warw* —3D **20**
Avonbank. *S Avon* —2G **3**
Avonbank Dri. *S Avon*
—4E **9**
Avonbrook Clo. *S Avon*
—5F **5**
Avon Cvn. Pk. *S Avon*
—4D **6**
Avoncliffe. *Tidd* —4E **7**
Avoncliffe Wlk. *Tidd* —4F **7**
Avon Clo. *Barf* —4A **26**
Avon Ct. *Lea S* —4B **16**
Avon Cres. *S Avon* —2D **10**
Avondale Rd. *Lea S* —3E **17**
Avonfields Clo. *A'ton* —4H **7**
Avon Ho. *S Avon* —1D **2**
Avonhurst. *Tidd* —5D **6**
Avonlea Ri. *Lea S* —5H **15**
Avon Mdw. Clo. *S Avon*
—2H **9**
Avon Mill. *S Avon* —1E **3**
Avon Rd. *W'nsh* —6C **22**
Avonside. *S Avon* —2A **10**
Avon St. *Warw* —2E **21**
Aylesford St. *Lea S* —3C **22**

Back La. *Warw* —3C **20**
Baddesley Clo. *Syd* —4F **23**
Bagot Way. *H'cte* —6A **22**
Baker Av. *Lea S* —3B **22**
Baker Av. *S Avon* —6F **5**
Balmoral Way. *Lea S*
—1E **17**
Bamburgh Gro. *Lea S*
—4A **16**
Banbury Rd. *S Avon*
—1B **10**
Banbury Rd. *Warw & Bis T*
—3D **20**
Banbury Rd. Hill. *Warw*
—4E **21**
Bancroft Pl. *S Avon*
—6A **6** (3G **3**)
Bankcroft. *Lea S* —4E **23**
Bankfield Dri. *Lea S* —6G **15**
Barber Wlk. *H Mag* —2F **19**
Barcherston Dri. *Hatt P*
—4D **12**
Bard's Wlk. *S Avon*
—6A **6** (3D **2**)

Barford. —4A 26
Barford App. *W'nsh* —1D **28**
Barley Ct. *Lea S* —5B **16**
Barnack Dri. *Warw* —6C **14**
Barnard Clo. *Lea S* —4E **17**
Barn Clo. *Cliff C* —6H **9**
Barn Clo. *W'nsh* —6D **22**
Barrack St. *Warw* —2C **20**
Bartlett Clo. *Warw* —2D **20**
Barton Cres. *Lea S* —3E **23**
Barwell Clo. *Lea S* —4B **16**
Basant Clo. *Warw* —2E **21**
Bath Pl. *Lea S* —2B **22**
Bath St. *Lea S* —2B **22**
Baxter Ct. *Lea S* —2C **22**
Beaconsfield St. *Lea S*
—2D **22**
Beaconsfield St. W. *Lea S*
—1D **22**
Beale Clo. *Bis T* —4A **28**
Beauchamp Av. *Lea S*
—6B **16**
Beauchamp Ct. *Lea S*
—6B **16**
Beauchamp Gdns. *Warw*
—3F **21**
Beauchamp Hill. *Lea S*
—6A **16**
Beauchamp Rd. *Lea S*
—6B **16**
Beauchamp Rd. *Warw*
—1F **21**
Beaufell Clo. *Warw* —6C **14**
Beaufort Av. *Lea S* —2E **17**
Beaulieu Pk. *Syd* —3F **23**
Beausale La. *Beau* —1C **12**
Bedford Pl. *Lea S* —1B **22**
Bedford St. *Lea S* —1B **22**
Beecham Wlk. *S Avon*
—5E **5**
Beech Cliffe. *Warw* —1D **20**
Beech Clo. *S Avon* —1C **10**
Beech Ct. *H'cte* —1A **28**
Beeches Wlk. *Tidd* —5E **7**
Beech Gro. *Warw* —6F **15**
Bellam Rd. *H Mag* —2F **19**
Bell Ct. *Lea S* —5B **16**
Bell Ct. *S Avon* —4D **2**
Bell Ct. Shop. Cen. *S Avon*
—1A **10** (4D **2**)
Bell La. *Shot* —1F **9**
Belmont Ct. *Lea S* —3C **16**
Belmont Dri. *Lea S* —3C **16**
Bennett Dri. *Warw* —2F **21**
Benson Rd. *S Avon* —5A **6**
Bentley Clo. *Lea S* —4D **16**
Berenska Dri. *Lea S* —5C **16**
Berrington Rd. *Lea S*
—3D **22**
Bertie Ter. *Lea S* —6A **16**
Berwick Clo. *Warw* —5C **14**
Beverley Rd. *Lea S* —6H **15**
Billesley Rd. *Wilm* —2A **4**
Binswood Av. *Lea S* —5B **16**
Binswood Cres. *Lea S*
—5B **16**
Binswood Mans. *Lea S*
—5B **16**
Binswood St. *Lea S* —6A **16**
Birch Ct. *H'cte* —1A **28**

Birchfield Rd. *S Avon* —4A **6**
Birchway Clo. *Lea S* —6G **15**
Bird Rd. *H'cte* —5G **21**
Birmingham Rd. *B'ton*
—1E **5** (1C **2**)
Birmingham Rd. *Bud*
—6G **13**
Birmingham Rd.
Hase & Hatt —1A **12**
Birmingham Rd. *Warw*
—1H **19**
Bishop's Clo. *Bis T* —4A **28**
Bishops Clo. *S Avon* —5E **5**
Bishop's Tachbrook.
—4H 27
Bishopton. —3F 5
Bishopton Hill. *B'ton* —1F **5**
Bishopton La. *S Avon*
—5D **4**
Bisset Cres. *Lea S* —3E **23**
Blackdown. —2B 16
Black La. *Lea S* —5D **16**
Blacklow Rd. *Warw* —6E **15**
Blackthorn Rd. *S Avon*
—4A **6**
Blacon Way. *S Avon* —6E **5**
Bladon Wlk. *Lea S* —3E **23**
Blakelands Av. *Lea S*
—3D **22**
Blandford Rd. *Lea S*
—6G **15**
Blandford Way. *H Mag*
—2G **19**
Blenheim Cres. *Lea S*
—4E **23**
Blick Rd. *H'cte I* —5G **21**
Blue Cap Rd. *S Avon* —4A **6**
Boddington Clo. *Lea S*
—2G **17**
Boleyn Clo. *Warw* —3G **21**
Bolingbroke Dri. *H'cte*
—6A **22**
Bolyfant Cres. *W'nsh*
—1C **28**
Bonniksen Clo. *Lea S*
—4B **22**
Bordesley Ct. *Lea S* —4C **16**
Bordon Hill. *S Avon* —2E **9**
Bordon Pl. *S Avon* —2G **9**
Borrowdale Dri. *Lea S*
—5H **15**
Boswell Gro. *Warw* —6B **14**
Boucher Clo. *S Avon* —2F **9**
Boundary La. *S Avon*
—1F **11**
Bourton Dri. *Lea S* —4D **22**
Bowers Cft. *Lea S* —3C **16**
Bowling Grn. St. *Warw*
—3B **20**
Box Clo. *W'nsh* —6D **22**
Braemar Rd. *Lea S* —3D **16**
Brakesmead. *Lea S* —4B **22**
Brandon Pde. *Lea S* —1C **22**
Brese Av. *Warw* —6D **14**
Brewery St. *S Avon*
—6H **5** (1C **2**)
Briar Clo. *Lea S* —5D **16**
Briar Cft. *S Avon*
—1H **9** (3A **2**)
Bridge End. —4D 20

Bridge End—Conifer Gro.

Bridge End. *Warw* —3D **20**
Bridge Foot. *S Avon*
   —6A **6** (3F **3**)
Bridgefoot Quay. *S Avon*
   —6A **6** (3G **3**)
Bridge St. *Barf* —5H **25**
Bridge St. *S Avon*
   —1A **10** (3E **3**)
Bridge St. *Warw* —1F **21**
Bridge Town. —2B 10
Bridgetown Rd. *S Avon*
   —2B **10**
Bridgeway. *S Avon*
   —6A **6** (2G **3**)
Broadhaven Clo. *Lea S*
   —2E **23**
Broadmeadow La. *S Avon*
   —5E **5**
Broad Oak Ct. *Lea S* —5C **16**
Broad St. *S Avon*
   —1H **9** (6B **2**)
Broad St. *Warw* —2D **20**
Broad Wlk. *S Avon* —1H **9**
Broadway. *Lea S* —2G **17**
Bromford Way. *S Avon*
   —5F **5**
Brooke Clo. *Warw* —4D **20**
Brookfield Rd. *Lea S*
   —2G **17**
Brook House. —6E **3**
Brookhurst Ct. *Lea S*
   —6H **15**
Brookside Clo. *S Avon*
   —6F **5**
Brookside Rd. *S Avon*
   —6F **5**
Brook St. *Warw* —3C **20**
Brookvale Rd. *S Avon*
   —1G **9**
Browning Av. *Warw* —4A **20**
Brownlow Green. —3D 12
Brownlow St. *Lea S* —5C **16**
Broxell Clo. *Warw* —6A **14**
Broxell Clo. Ind. Est. *Warw*
   —6A **14**
Brunel Clo. *W'nsh* —6D **22**
Brunswick Ct. *Lea S* —4C **22**
Brunswick St. *Lea S* —3C **22**
Buckden Clo. *Warw* —6D **14**
Buckley Rd. *Lea S* —5D **16**
Budbrooke. —2F 19
Budbrooke Ind. Est. *Warw*
   —2A **20**
Budbrooke Rd. *Warw*
   —2H **19**
Bull St. *S Avon* —2H **9**
Burbage Av. *S Avon* —4H **5**
Burbury Clo. *Lea S* —5E **17**
Burbury Ct. *Warw* —1F **21**
Burford M. *Lea S* —3E **23**
Burford Rd. *S Avon* —1D **10**
Burges Gro. *Warw* —6D **14**
Burns Av. *Warw* —4A **20**
Burnside Rd. *Shot* —1E **9**
Burns Rd. *Lea S* —3D **16**
Burrows Clo. *W'nsh*
   —6D **22**
Bury Rd. *Lea S* —2A **22**
Butts, The. *Warw* —2C **20**
Byron Av. *Warw* —5A **20**

Byron Rd. *S Avon* —2B **10**

Caen Clo. *H Mag* —2G **19**
Calder Wlk. *Lea S* —3E **23**
Calpurnia Av. *H'cte* —6A **22**
Camberwell Ter. *Lea S*
   —2C **22**
Cambridge Gdns. *Lea S*
   —6C **16**
Cameron Clo. *Lea S* —3C **16**
Campden Rd. *Cliff C* —6G **9**
Campion Ct. *Lea S* —5C **16**
Campion Grn. *Lea S*
   —5C **16**
Campion Rd. *Lea S* —5C **16**
Campion Ter. *Lea S* —6C **16**
Canada La. *N Lin* —1A **24**
Canal La. *Hatt* —5C **12**
Canon Young Rd. *W'nsh*
   —5D **22**
Cape Ind. Est. *Warw*
   —2C **20**
Cape Rd. *Warw* —1B **20**
Cape, The. —1B 20
Capulet Dri. *H'cte* —6A **22**
Carew Clo. *S Avon* —4G **5**
Carter Dri. *Barf* —5H **25**
Carters La. *Tidd* —4E **7**
Cashmore Av. *Lea S*
   —4B **22**
Cassandra Gro. *H'cte*
   —5H **21**
Castle Clo. *Warw* —3C **20**
Castle Ct. *Warw* —3C **20**
Castle Ga. M. *Warw* —2D **20**
Castle Hill. *Warw* —3C **20**
Castle La. *Warw* —3C **20**
Castle St. *Warw* —3C **20**
Caswell Rd. *Lea S* —3D **22**
Cattell Rd. *Warw* —2C **20**
Cedar Clo. *Lea S* —3C **16**
Cedar Clo. *S Avon* —5B **6**
Cedar Gro. *Warw* —6E **15**
Cedars, The. *Lea S* —1H **21**
Central Av. *Lea S* —3B **22**
Central Chambers. *S Avon*
   —3D **2**
Cen. Craft Yd. *S Avon*
   —3D **2**
Chamberlain Clo. *Cubb*
   —2F **17**
Chance Fields. *Rad S*
   —3H **23**
Chanders Rd. *Warw* —6B **14**
Chandlers Rd. *W'nsh*
   —6C **22**
Chandos St. *Lea S* —6B **16**
Chantry, The. *Warw* —6E **15**
Chapel Ct. *Lea S* —1C **22**
Chapel La. *S Avon*
   —1A **10** (6D **2**)
Chapel Row. *Warw* —2C **20**
Chapel St. *Lea S* —2C **22**
Chapel St. *S Avon*
   —1A **10** (5D **2**)
Chapel St. *Warw* —2C **20**
Chapman Clo. *Rad S*
   —4G **23**
Chapman Ct. *Warw* —1G **21**

Charingworth Dri. *Hatt P*
   —5E **13**
Charlbury M. *Lea S* —3E **23**
Charlcote Clo. *Tidd* —6E **7**
Charlecote Gdns. *Syd*
   —4F **23**
Charles Ct. *Warw* —1F **21**
Charles Gardner Rd. *Lea S*
   —3C **22**
Charles St. *Warw* —1E **21**
Charles Watson Ct. *Lea S*
   —5C **16**
Charlotte St. *Lea S* —3B **22**
Charnwood Way. *Lea S*
   —4E **17**
Charter App. *Warw* —4B **20**
Chatsworth Gdns. *Syd*
   —3F **23**
Chepstow Clo. *S Avon*
   —2G **9**
Cherry Blossom Gro. *W'nsh*
   —1D **28**
Cherry La. *H Mag* —3F **19**
Cherry Orchard. *S Avon*
   —2G **9**
Cherry St. *S Avon* —2H **9**
Cherry St. *Warw* —2D **20**
Chesford Cres. *Warw*
   —6F **15**
Chesford Gro. *S Avon* —5F **5**
Chesham St. *Lea S* —2D **22**
Chesterton Dri. *Lea S*
   —4E **23**
Chestnut Ct. *H'cte* —1A **28**
Chestnut Sq. *Lea S* —5D **16**
Chestnut Wlk. *S Avon*
   —1H **9** (6B **2**)
Cheviot Ri. *Lea S* —4E **17**
Chichester La. *H Mag*
   —3F **19**
Childs Clo. *S Avon* —4G **5**
Christine Ledger Sq. *Lea S*
   —3C **22**
Church Clo. *Ludd* —5B **8**
Church Clo. *W'nsh* —5D **22**
Church End. *Rad S* —3G **23**
Church Hill. *Bis T* —4A **28**
Church Hill. *Cubb* —2G **17**
Church Hill. *Lea S* —1A **22**
Church La. *A'ton* —4G **7**
Church La. *Barf* —5A **26**
Church La. *Cubb* —1G **17**
Church La. *Lea S* —4C **16**
Church La. *N Lin* —6A **18**
Church La. *Shot* —6E **5**
Church La. *W'nsh* —5D **22**
Church Lees. *Bis T* —4A **28**
Church Path. *H Mag*
   —3F **19**
Church Rd. *Sher* —3G **25**
Church Rd. *Wilm* —1A **4**
Church St. *Barf* —5H **25**
Church St. *Lea S* —2C **22**
Church St. *S Avon*
   —1H **9** (6C **2**)
Church St. *Warw* —3C **20**
Church Ter. *Cubb* —2G **17**
Church Ter. *Lea S* —2C **22**
Church Wlk. *Lea S* —2B **22**
Cicero App. *H'cte* —6A **22**

Circuit, The. *D'wll* —3B **8**
Clapham Sq. *Lea S* —2D **22**
Clapham St. *Lea S* —3D **22**
Clapham Ter. *Lea S* —2D **22**
Clare Clo. *Lea S* —5E **17**
Claremont Rd. *Lea S*
   —3B **22**
Clarence Rd. *S Avon* —6F **5**
Clarence St. *Lea S* —3C **22**
Clarence Ter. *Lea S* —6B **16**
Clarendon Av. *Lea S* —6B **16**
Clarendon Cres. *Lea S*
   —6A **16**
Clarendon Pl. *Lea S* —6A **16**
Clarendon Sq. *Lea S*
   (in two parts) —6A **16**
Clarendon St. *Lea S* —6C **16**
Clarkson Dri. *W'nsh* —5C **22**
Cleeves Av. *Warw* —3G **21**
Clemens St. *Lea S* —2C **22**
Cleveland Ct. *Lea S* —5B **16**
Cliffe Ct. *Lea S* —6H **15**
Cliffe Rd. *Lea S* —6H **15**
Cliffe Way. *Warw* —1D **20**
Clifford Chambers. —6G 9
Clifford La. *Cliff C* —5H **9**
Clinton Av. *H Mag* —2G **19**
Clinton St. *Lea S* —2C **22**
Cloister Crofts. *Lea S*
   —4B **16**
Cloisters, The. *Lea S*
   —4B **16**
Cloister Way. *Lea S* —4B **16**
Clopton. —4A 6
Clopton Bridge.
   —5H **3** (5H **3**)
Clopton Ct. *S Avon*
   —6H **5** (1C **2**)
Clopton Rd. *S Avon*
   —6H **5** (1C **2**)
Close, The. *Lea S* —3C **22**
Clover Clo. *S Avon* —4G **5**
Cobden Av. *Lea S* —4E **23**
Cobham Grn. *W'nsh* —5B **22**
Cockermouth Clo. *Lea S*
   —5H **15**
Cocksfoot Clo. *S Avon*
   —4G **5**
Cocksparrow St. *Warw*
   —3B **20**
Colbourne Gro. *Lea S*
   —5H **15**
College Dri. *Lea S* —5B **16**
College La. *Lea S* —2H **9**
College M. *S Avon* —2H **9**
College St. *S Avon* —2H **9**
Collegiate Church of
   St Mary. —3C **20**
Collins Rd. *H'cte I* —4H **21**
Combroke Gro. *Hatt P*
   —5E **13**
Commainge Clo. *Warw*
   —2B **20**
Commander Clo. *Bis T*
   —4A **28**
Compton Clo. *Lea S* —5E **17**
Comyn St. *Lea S* —6D **16**
Congreve Clo. *Warw*
   —5D **14**
Conifer Gro. *Lea S* —4C **22**

Coningsby Clo. *Lea S*
—3E **23**
Coniston Rd. *Lea S* —6H **15**
Conrad Ho. *S Avon* —1C **2**
Conway Rd. *Lea S* —1H **21**
Cooke Clo. *Warw* —6D **14**
Cook's All. *S Avon* —3D **2**
Coppice Clo. *S Avon* —4A **6**
Coppice Rd. *W'nsh* —6D **22**
Copps Rd. *Lea S* —1H **21**
Corbison Clo. *Warw* —6B **14**
Cordelia Grn. *H'cte* —5A **22**
Cornwall Clo. *Warw* —6D **14**
Cornwall Pl. *Lea S* —6H **15**
Corston M. *Lea S* —3E **23**
Cosford Clo. *Lea S* —4D **16**
Coten End. *Warw* —2D **20**
Cottage Clo. *Lea S* —3E **23**
Cottage La. *Shot* —1E **9**
Cotterills Clo. *W'nsh*
—6D **22**
Cotton Mill Spinney. *Cubb*
—1G **17**
Coughton Dri. *Syd* —4F **23**
Court Clo. *Bis T* —4H **27**
Court St. *Lea S* —2C **22**
Courtyard, The. *Warw*
—3D **20**
Coventry Rd. *S'lgh & Cubb*
—1G **17**
Coventry Rd. *Warw* —2D **20**
Cowdray Clo. *Lea S* —2E **23**
Cowper Clo. *Warw* —6D **14**
Cox's Orchard. *W'nsh*
—5C **22**
Crabtree Gro. *Lea S* —3E **23**
Craig Clo. *Lea S* —3D **22**
Crane Clo. *S Avon* —4E **5**
Crane Clo. *Warw* —6B **14**
Cranmer Gro. *H'cte* —6H **21**
Crawford Clo. *Lea S*
—2D **16**
Crest, The. *Lea S* —4E **17**
Crimscote Sq. *Hatt P*
—4D **12**
Croft Clo. *Bis T* —4A **28**
Croft Clo. *Warw* —2G **21**
Croft Rd. *Leek W* —1E **15**
Cromer Rd. *Lea S* —5D **16**
Crompton St. *Warw* —3B **20**
Crossfields Rd. *Warw*
—1D **20**
Cross La. *Cubb* —3G **17**
Cross Rd. *Lea S* —1H **21**
Cross St. *Lea S* —6C **16**
Cross St. *Warw* —2D **20**
Crown Way. *Lea S* —4D **16**
Crutchley Way. *W'nsh*
—1C **28**
Cubbington. —2G 17
Cubbington Rd. *Lea S*
—4C **16**
Culworth Clo. *Lea S* —4B **22**
Culworth Ct. *Lea S* —4C **22**
Cumberland Cres. *Lea S*
—4F **17**
Cumming St. *Lea S* —2C **22**
Cundall Clo. *Lea S* —3D **22**
Curlew Clo. *S Avon* —4E **5**
Curlieu Clo. *H Mag* —2G **19**

Curran Clo. *W'nsh* —5D **22**
Curzon Gro. *Lea S* —3E **23**
Cypress La. *W'nsh* —6D **22**

Dale Av. *S Avon* —2C **10**
Dale Clo. *Warw* —1E **21**
Dale St. *Lea S* —1A **22**
Daly Av. *H Mag* —3F **19**
Damson Rd. *H Mag* —3F **19**
Danesbury Cres. *Lea S*
—3F **23**
Dark La. *Hatt* —6A **12**
Dark La. *Tidd* —5E **7**
Davidson Av. *Lea S* —2C **22**
Davis Clo. *Lea S* —5H **15**
Dawson Clo. *W'nsh* —1C **28**
Deansway. *Warw* —5B **14**
Deerpark Dri. *Warw* —1C **20**
Delamere Way. *Lea S*
—3E **17**
Delphi Clo. *Tach P* —5A **22**
Denby Clo. *Lea S* —5E **17**
Denne Clo. *S Avon* —4A **6**
Dennett Clo. *Warw* —5D **14**
Denville Rd. *Lea S* —4C **16**
Dereham Ct. *Lea S* —5C **16**
Derwent Clo. *Lea S* —6H **15**
Dickins Rd. *Warw* —1F **21**
Dighton Clo. *Cliff C* —6H **9**
Dingles Way. *S Avon* —4A **6**
Dobson La. *W'nsh* —5C **22**
Dodd Av. *Warw* —2G **21**
Dodwell Trailer Pk. *D'wll*
—3B **8**
Dogberry Way. *H'cte*
—1B **28**
Doglands, The. *Lea S*
—5D **22**
Dongan Rd. *Warw* —2C **20**
Dorchester Av. *H Mag*
—3F **19**
Dormer Pl. *Lea S* —1B **22**
Dorsington Clo. *Hatt P*
—4E **13**
Drayton. —6B 4
Drayton Av. *S Avon* —5E **5**
Drayton Clo. *S Avon* —5F **5**
Drayton Ct. *Warw* —5D **14**
Drayton Mnr. Dri. *S Avon*
—1B **8**
Dudley Grn. *Lea S* —5D **16**
Dugard Pl. *Barf* —6A **26**
Dugdale Av. *S Avon* —4A **6**
Dugdale Ct. *Lea S* —3C **22**
Duke St. *Lea S* —6C **16**
Dunblane Dri. *Lea S* —2E **17**
Dunstall Cres. *Bis T* —4H **27**
Dwarris Wlk. *Warw* —5C **14**

Eagle St. *Lea S* —3C **22**
Earl Rivers Av. *H'cte*
—6H **21**
Earl St. *Lea S* —6C **16**
East Dene. *Lea S* —5D **16**
Eastfield Clo. *S Avon* —4H **5**
Eastfield Rd. *Lea S* —1C **22**
Eastgate M. *Warw* —3C **20**
E. Green Dri. *S Avon* —6E **5**

East Gro. *Lea S* —3C **22**
Eastley Cres. *Warw* —1H **19**
Eastnor Gro. *Lea S* —2D **22**
Eastwood Clo. *Lea S*
—3F **23**
Eaton Clo. *Lea S* —5H **15**
Eborall Clo. *Warw* —5C **14**
Ebrington Dri. *Hatt P*
—5E **13**
Eden Ct. *Lea S* —4F **17**
Edinburgh Cres. *Lea S*
—3B **22**
Edmondes Clo. *Warw*
—6D **14**
Edmondscote Rd. *Lea S*
—1G **21**
Edward St. *Lea S* —6G **15**
Edward St. *Warw* —2B **20**
Elan Clo. *Lea S* —4E **17**
Eliot Clo. *Warw* —5C **14**
Elizabeth Ct. *Warw* —3F **21**
Elizabeth Pl. *S Avon* —1B **2**
Elizabeth Rd. *Lea S* —3A **22**
Elliotts Orchard. *Barf*
—5H **25**
Elliston Gro. *Lea S* —3E **23**
Elm Bank Clo. *Lea S*
—3C **16**
Elm Ct. *S Avon* —2B **2**
Elm Rd. *Lea S* —4D **16**
Elm Rd. *S Avon* —4H **5**
Elms Cvn. Pk., The. *S Avon*
—4D **6**
Elms, The. *Leek W* —1D **14**
Elms, The. *S Avon* —5A **6**
Elsinore. *S Avon* —1E **3**
Elton Clo. *Lea S* —5E **17**
Ely Cotts. *S Avon* —5D **2**
Ely Gdns. *S Avon* —5C **2**
Ely St. *S Avon*
—1H **9** (4C **2**)
Emerald Way. *Lea S*
—4B **22**
Emmott Dri. *Lea S* —3D **22**
Emscote. —2E 21
Emscote Rd. *Warw* —2E **21**
Endsleigh Gdns. *Lea S*
—3D **22**
England Cres. *Lea S*
—2A **22**
Ennerdale Clo. *Lea S*
—5H **15**
Enright Clo. *Lea S* —5A **16**
Epperston Ct. *Lea S* —2B **22**
Epping Way. *Lea S* —3E **17**
Epsom Rd. *Lea S* —3E **17**
Erica Dri. *W'nsh* —1D **28**
Essex Ct. *Warw* —1C **20**
Eton Rd. *S Avon* —2C **10**
Europa Way. *Warw* —5G **21**
Euston Pl. *Lea S* —1B **22**
Euston Sq. *Lea S* —1B **22**
Evans Clo. *S Avon* —2F **9**
Evans Gro. *W'nsh* —1C **28**
Evenlode Clo. *S Avon*
—2C **10**
Evesham Pl. *S Avon*
—1H **9** (6A **2**)
Evesham Rd. *D'wll* —3A **8**
(in two parts)

Exhall Clo. *S Avon* —2D **10**
Exham Clo. *Warw* —6C **14**
Exmoor Dri. *Lea S* —3E **17**
Eyffler Dri. *Warw* —2B **20**

Fairfax Clo. *Barf* —5H **25**
Fairfax Ct. *Warw* —2D **20**
Fairfields Wlk. *S Avon*
—6F **5**
Fairhurst Dri. *Lea S* —4A **16**
Fairlawn Clo. *Lea S* —6H **15**
Fairways, The. *Lea S*
—5H **15**
Fallow Hill. *Lea S* —3E **23**
Falstaff Ct. *S Avon*
—6A **6** (2D **2**)
Falstaff Gro. *H'cte* —6A **22**
Farley St. *Lea S* —2D **22**
Farm Rd. *Lea S* —4D **16**
Farm Wlk. *Bis T* —3A **28**
Faulconbridge Way. *H'cte*
—6A **22**
Fell Gro. *Lea S* —4E **17**
Fellmore Gro. *Lea S* —2E **23**
Fernhill Dri. *Lea S* —6D **16**
Ferry La. *A'ton* —3H **7**
Fetherston Ct. *Lea S*
—3B **22**
Fld. Barn Rd. *H Mag*
—2F **19**
Field Clo. *Warw* —2F **21**
Fieldgate La. *W'nsh*
—1D **28**
Fieldhead La. *Warw* —3F **21**
Fields Ct. *Warw* —1D **20**
Finings Ct. *Lea S* —5B **16**
Firethorn Cres. *W'nsh*
—1C **28**
Fishers Ct. *Warw* —5B **20**
Flavel Cres. *Lea S* —2B **22**
Fleur-de-Lys Ct. *Warw*
—1F **21**
Flower Ct. *S Avon* —2H **9**
Flower Rd. *S Avon* —3H **5**
Fordham Av. *S Avon* —5A **6**
Forfield Pl. *Lea S* —2C **22**
Fosberry Clo. *Warw* —1F **21**
Fosse Way. *Ches & Rad S*
—6G **29**
Fountain Way. *S Avon*
—1H **9** (4D **2**)
Foxdale Wlk. *Lea S* —3E **23**
Foxes La. *Wilm* —1A **4**
Foxes Way. *Warw* —5B **20**
Foxtail Clo. *S Avon* —4F **5**
Frances Av. *Warw* —2E **21**
Frances Gibbs Gdns. *W'nsh*
—5C **22**
Frances Havergal Clo. *Lea S*
—3B **22**
Frankel Gdns. *Warw*
—6D **14**
Franklin Rd. *W'nsh* —6C **22**
Freemans Clo. *Lea S*
—6A **16**
Freshwater Gro. *Lea S*
—3E **23**
Friars St. *Warw* —3B **20**
Friary Clo. *H Mag* —3E **19**

Fryer Av.—Hitchman M.

Fryer Av. *Lea S* —5A **16**
Fulbrook La. *Sher* —5E **25**

Gadshill. *H'cte* —5A **22**
Gainsborough Dri. *Lea S*
—3E **23**
Gainsborough Dri. S. *Lea S*
—3D **22**
Gainsborough Rd. *S Avon*
—2F **9**
Gallows Hill. *Warw* —4E **21**
Garden Ct. *Warw* —1G **21**
Garden Row. *S Avon* —5C **2**
Gardens, The. *Rad S*
—4G **23**
Gardens, The. *S Avon*
—1H **9** (5C **2**)
Garrick Way. *S Avon* —2G **9**
Garway Clo. *Lea S* —3C **16**
Gas St. *Lea S* —2B **22**
Gaveston Clo. *Warw*
—1D **20**
Gaveston Rd. *Lea S*
—6A **16**
George Rd. *Warw* —1E **21**
George St. *Lea S* —2C **22**
Gerrard St. *Warw* —3C **20**
Gibbs La. *Tidd* —5E **7**
Giffard Way. *Warw* —6C **14**
Gifford Wlk. *S Avon* —5E **5**
Gilbert Clo. *S Avon* —3H **5**
Ginkgo Wlk. *Lea S* —4B **22**
Girvan Gro. *Lea S* —2E **17**
Gisburn Clo. *Warw* —6D **14**
Gleave Rd. *W'nsh* —6C **22**
Glebe Est. *Wilm* —1A **4**
Glebe Pl. *Lea S* —2D **22**
Glebe Rd. *S Avon* —5E **5**
Gleeson Dri. *Warw* —6C **14**
Glendower. *S Avon* —1F **3**
Glendower App. *H'cte*
—6A **22**
Gloucester Ct. *S Avon*
—6A **6** (3E **3**)
Gloucester St. *Lea S*
—2C **22**
Glover Clo. *Warw* —5H **19**
Godfrey Clo. *Rad S* —4G **23**
Goldacre Clo. *W'nsh*
—5B **22**
Goldsmith Av. *Warw*
—4A **20**
Golf La. *W'nsh* —6D **22**
Gooch's Way. *W'nsh*
—5C **22**
Goodfellow St. *Lea S*
—6G **15**
Goodwood Clo. *S Avon*
—2F **9**
Gordon Pas. *Lea S* —2C **22**
Gordon St. *Lea S* —2C **22**
Gould Rd. *H Mag* —2G **19**
Gower Memorial, The.
—1A **10** (4G **3**)
Grammer School & Guildhall.
—6D **2**
Granborough Ct. *Lea S*
—4C **16**
Grange Clo. *Warw* —1G **21**

Grange M., The. *Lea S*
—6H **15**
Grange Pk. *S Avon* —5A **6**
Grange Rd. *Lea S* —4D **16**
Grange, The. *Cubb* —2H **17**
Grange, The. *Lea S* —6D **16**
Grange, The. *Warw* —2F **21**
Granleigh Ct. *Lea S* —2G **17**
Granville St. *Lea S* —5C **16**
Grassington Av. *Warw*
—6D **14**
Greatheed Rd. *Lea S*
—6A **16**
Gt. William St. *S Avon*
—6A **6** (2D **2**)
Greaves Clo. *Warw* —2G **21**
Green Clo. *W'nsh* —5D **22**
Greenhill Rd. *W'nsh* —5D **22**
Greenhill St. *S Avon*
—6H **5** (3B **2**)
Green La. *Warw* —1D **20**
Green, The. *Hatt* —4A **12**
Green, The. *Wilm* —1A **4**
Greenway. *Warw* —6C **14**
Greenways, The. *Lea S*
—4D **16**
Greenwood Ct. *Lea S*
—6D **16**
Grenfell Clo. *Lea S* —3F **23**
Gresham Av. *Lea S* —5D **16**
Gresham Pl. *Lea S* —5D **16**
Greswoldes, The. *Rad S*
—3H **23**
Greville Rd. *Warw* —6F **15**
Greville Smith Av. *W'nsh*
—5D **22**
Griffin Rd. *Warw* —2G **21**
Grosvenor Ct. *Lea S* —6B **16**
Grosvenor Rd. *Lea S*
—4C **22**
Grouse Clo. *S Avon* —4E **5**
Grove Cft. *H Hill* —4E **19**
Grove Ho. *S Avon*
—1H **9** (4B **2**)
Grove Pl. *Lea S* —3C **22**
(in two parts)
Grove Rd. *S Avon*
—1H **9** (6A **2**)
Grove St. *Lea S* —1A **22**
Guild Chapel, The. —6D **2**
Guild Cotts., The. *Warw*
—3C **20**
Guild St. *S Avon*
—6A **6** (2D **2**)
Gulistan Ct. *Lea S* —6A **16**
Gulistan Rd. *Lea S* —6A **16**
Gulliman's Way. *Lea S*
—3F **23**
Gundry Clo. *Lea S* —2C **22**
Gunnery Ter. *Lea S* —6H **15**
Guy Pl. E. *Lea S* —6B **16**
Guy Pl. W. *Lea S* —6B **16**
Guy's Cliffe. —4E 15
Guy's Cliffe Av. *Lea S*
—5G **15**
Guy's Cliffe House. —5E **15**
Guy's Cliffe Rd. *Lea S*
—6H **15**
Guy's Cliffe Ter. *Warw*
—2D **20**

Guys Clo. *Warw* —1D **20**
Guys Cross Pk. Rd. *Warw*
—1D **20**
Guy St. *Lea S* —6B **16**
Guy St. *Warw* —2D **20**

Haddon Rd. *Lea S* —5D **16**
Hadrian Clo. *Lea S* —3D **16**
Halford Rd. *S Avon* —2G **9**
Hallfields. *Rad S* —4G **23**
Hall Rd. *Lea S* —6B **16**
Hall's Clo. *W'nsh* —6D **22**
Halls Croft. —1A **10**
Hamilton Rd. *Rad S* —4G **23**
Hamilton Rd. *Tidd* —6E **7**
Hamilton Ter. *Lea S* —1B **22**
Hamlet, The. *Leek W*
—1E **15**
Hampton Cft. *H Hill* —5E **19**
Hampton Gro. *Lea S*
—6D **16**
Hampton Magna. —3G 19
Hampton on the Hill.
—3E 19
Hampton Rd. *Warw* —4F **19**
Hampton St. *Warw* —3B **20**
Handley Gro. *Warw* —6B **14**
Hanover Gdns. *Lea S*
—6C **16**
Hanworth Clo. *Lea S*
—4D **16**
Hanworth Rd. *Warw* —1B **20**
Harbury La. *H'cte* —5G **21**
Hareway La. *Barf* —4B **26**
Harmar Clo. *Warw* —6B **14**
Harriott Dri. *H'cte I* —5H **21**
Harris Rd. *Warw* —1A **20**
Harrow Rd. *W'nsh* —6D **22**
Harvard House.
—1A **10** (4D **2**)
Harvest Hill Clo. *Lea S*
—3E **23**
Haseley. —3B 12
Haseley Bus. Cen. *Hase*
—3B **12**
Haseley Clo. *Lea S* —4D **22**
Hassall Clo. *Bis T* —4A **28**
Hathaway Dri. *Warw*
—5B **14**
Hathaway Grn. La. *S Avon*
—6D **4**
Hathaway Hamlet. *Shot*
—6E **5**
Hathaway La. *S Avon* —1F **9**
Hatherell Rd. *Rad S* —4G **23**
Hatton. —4C 12
Hatton Bank La. *B Hill*
—1H **7**
Hatton Clo. *Hatt* —5E **13**
Hatton Country World.
—6B **12**
Hatton Green. —4A 12
Hatton Hill. —5C 12
Hatton Lock Flight. —5C **12**
Hatton Ter. *Hatt* —5D **12**
Hauley Gro. *W'nsh* —5C **22**
Hawkes Dri. *H'cte I* —5H **21**
Hawthorn Rd. *Lea S* —3B **22**
Haydock Clo. *S Avon* —2G **9**

Hayle Av. *Warw* —6D **14**
Hayward Clo. *H Mag*
—3F **19**
Hazel Clo. *Lea S* —5C **16**
Healey Ct. *Warw* —2D **20**
Heathcote. —6H 21
Heathcote Ind. Est. *H'cte I*
—5G **21**
Heathcote La. *H'cte* —5G **21**
Heathcote Pk. *H'cte* —1A **28**
Heathcote Rd. *W'nsh*
—6B **22**
Heathcote Way. *H'cte I*
—5H **21**
Heath End. —5A 24
Heath End La. *Snitt* —4A **24**
Heather Clo. *S Avon* —6F **5**
Heath Ter. *Lea S* —6A **16**
Hebden Av. *Warw* —6C **14**
Heemstede La. *Lea S*
—5C **16**
Hellidon Clo. *Lea S* —5C **16**
Helmsdale Rd. *Lea S*
—3D **16**
Hemmin Gdns. Mill. *Barf*
—5H **25**
Hemmings Clo. *Rad S*
—4G **23**
Henley Rd. *Lea S* —4D **22**
Henley Rd. *Lwr N* —4A **18**
Henley St. *S Avon*
—6A **6** (2C **2**)
Henry Tanday Ct. *Lea S*
—6A **16**
Heralds Ct. *Warw* —1F **21**
Hermes Clo. *Warw* —4A **22**
Heron La. *S Avon* —4E **5**
Hertford Rd. *S Avon* —2H **9**
Hetton Clo. *Warw* —6D **14**
Hicks Clo. *Warw* —5D **14**
Hidcote Clo. *Syd* —4E **23**
Highcroft Cres. *Lea S*
—6G **15**
Highdown Rd. *Lea S*
—3D **22**
Highfield Rd. *S Avon* —4G **5**
Highfield Ter. *Lea S* —6H **15**
Highland Rd. *Lea S* —3D **16**
Highlands Clo. *Warw*
—1D **20**
High St. *Barf* —4A **26**
High St. *Cubb* —2G **17**
High St. *Lea S* —2B **22**
High St. *S Avon*
—1A **10** (4E **3**)
High St. *Warw* —3C **20**
High Vw. Rd. *Lea S* —2E **17**
Hill Clo. *Lea S* —4C **16**
Hillcrest. *Lea S* —2G **17**
Hillside Rd. *S Avon* —5E **5**
Hill St. *Warw* —1F **21**
Hill Wootton. —1G 15
Hill Wootton Rd. *Leek W*
—1E **15**
Hind Clo. *Warw* —5D **14**
Hiron Way. *Warw* —2H **19**
Hirsel Gdns. *Lea S* —5B **16**
Hitchman Clo. *Lea S* —4C **22**
Hitchman M. *Lea S* —4C **22**

Makepeace Av.—Old Pound

Makepeace Av. *Warw*
—6D **14**
Malham Rd. *Warw* —6D **14**
Malins, The. *Warw* —3F **21**
Mallard Clo. *S Avon* —4E **5**
Mallory Dri. *Warw* —2B **20**
Mallory Rd. *Bis T* —4G **27**
Maltings Ct. *S Avon* —1C **2**
Maltings, The. *Lea S*
(in two parts) —5B **16**
Maltings, The. *S Avon*
—1A **10** (5D **2**)
Mander Gro. *Warw* —5H **19**
Manor Ct. *Lea S* —2B **22**
Manor Dri. *Wilm* —1B **4**
Mnr. Farm Cotts. *Ludd*
—5B **8**
Manor Gdns. *S Avon* —2F **9**
Manor Grn. *S Avon* —1C **10**
Manor Rd. *Lea S* —4D **16**
Manor Rd. *S Avon* —1C **10**
Mansell St. *S Avon*
—6H **5** (2B **2**)
Mantua. *S Avon* —1F **3**
Maple Gro. *S Avon* —4H **5**
Maple Gro. *Warw* —6E **15**
Maple Rd. *Lea S* —3B **22**
Marcroft Pl. *Lea S* —3F **23**
Mark Antony Dri. *H'cte*
—5H **21**
Market Corner. *Lea S*
—3B **22**
Market Pl. *Warw* —3C **20**
Market St. *Warw* —3B **20**
Markham Dri. *W'nsh*
—6D **22**
Marks M. *Warw* —3C **20**
Marlborough Dri. *Syd*
—3F **23**
Marloes Wlk. *Syd* —3E **23**
Marsham Clo. *Warw* —1F **21**
Marston Clo. *Lea S* —5D **16**
Marten Clo. *H Mag* —2G **19**
Martin Clo. *S Avon* —4A **6**
Masefield Av. *Warw* —5A **20**
Masefield Rd. *S Avon*
—2B **10**
Mason Av. *Lea S* —4D **16**
Masons Ct. *S Avon* —5B **2**
Masons Rd. *S Avon* —5F **5**
Masons Rd. Ind. Est. *S Avon*
—5F **5**
Masons Way. *S Avon* —5F **5**
Masters Rd. *Lea S* —4C **22**
Mathecroft. *Lea S* —4E **23**
Matthews Clo. *S Avon*
—5A **6**
Maxstoke Gdns. *Lea S*
—3B **22**
Maybird Cen. *S Avon* —5H **5**
Maybrook Ind. Est. *S Avon*
—5H **5**
Maybrook Rd. *S Avon*
—5H **5**
Mayfield Av. *S Avon* —5A **6**
Mayfield Clo. *Lea S* —3E **23**
Mayfield Ct. *S Avon* —6A **6**
Maynard Av. *Warw* —2E **21**
Mayne Clo. *H Mag* —3F **19**
Meadow Clo. *Lea S* —3E **17**

Meadow Clo. *S Avon* —6F **5**
Meadow Lea. *S Avon* —6F **5**
Meadow Rd. *Warw* —2E **21**
Meadows, The. *Leek W*
—1E **15**
Mdw. Sweet Rd. *S Avon*
—4G **5**
Medley Gro. *W'nsh* —6B **22**
Meer St. *S Avon*
—6H **5** (3C **2**)
Melton Rd. *Lea S* —3D **16**
Mercia Way. *Warw* —2F **21**
Mews Rd. *Lea S* —1H **21**
Mickleton Dri. *Hatt P*
—5E **13**
Middle Lock La. *Hatt P*
—5D **12**
Middle Rd. *Ches* —4H **29**
Milcote Rd. *W Avon* —6D **8**
Mildmay Clo. *S Avon* —2F **9**
Milestone Rd. *S Avon*
—3D **10**
Millbank. *Warw* —6E **15**
Millers Rd. *Warw* —1B **20**
Mill Ho. Clo. *Lea S* —1G **21**
Mill Ho. Dri. *Lea S* —1G **21**
Mill Ho. Ter. *Lea S* —1G **21**
Mill La. *Barf* —5H **25**
Mill La. *Cubb* —2H **17**
Mill La. *S Avon* —2A **10**
Mill Rd. *Lea S* —1C **22**
Mill St. *Lea S* —2C **22**
Mill St. *Warw* —3D **20**
Millway Dri. *Bis T* —3A **28**
Milton Av. *Warw* —4A **20**
Milverton. —1A 22
Milverton Ct. *Lea S* —1A **22**
Milverton Cres. *Lea S*
—6A **16**
Milverton Cres. W. *Lea S*
—6A **16**
Milverton Hill. *Lea S*
—1A **22**
Milverton Ter. *Lea S* —1A **22**
Minories, The. *S Avon*
—6H **5** (3C **2**)
Minshills Ct. *S Avon* —1D **2**
Minster Clo. *H Mag* —3F **19**
Miranda Dri. *H'cte* —6A **22**
Moat Grn. *Sher* —2G **25**
Mollington Gro. *Hatt P*
—5D **12**
Mollington Rd. *W'nsh*
—6C **22**
Moncrieff Dri. *Lea S* —4E **23**
Monks Way. *Warw* —3B **20**
Montague Rd. *Warw*
—6E **15**
Montgomery Av. *H Hill*
—3E **19**
Montgomery Clo. *Shot*
—2G **9**
Montgomery Rd. *W'nsh*
—5B **22**
Montrose Av. *Lea S* —3C **16**
Monument Way. *S Avon*
—4A **6**
Moore Clo. *Warw* —5C **14**
Moore Wlk. *Warw* —2G **21**
Moorhill Rd. *W'nsh* —6C **22**

Moorings, The. *Lea S*
—2H **21**
Moreton Clo. *S Avon*
—1D **10**
Morrell St. *Lea S* —6B **16**
Morris Dri. *W'nsh* —1D **28**
Morse Rd. *W'nsh* —6D **22**
Morton Ct. *S Avon* —1F **3**
Morton St. *Lea S* —6B **16**
Mosspaul Clo. *Lea S*
—5H **15**
Moss St. *Lea S* —2C **22**
Mountbatten Clo. *S Avon*
—2F **9**
Mount Cres. *S Avon* —6E **5**
Mt. Pleasant. *S Avon* —6E **5**
Mulberry Clo. *Lea S* —5C **16**
Mulberry Ct. *S Avon*
—6A **6** (1D **2**)
Mulberry Dri. *Warw*
—1D **20**
Mulberry St. *S Avon*
—6A **6** (1D **2**)
Mulberry Tree Shop. Cen.,
The. *S Avon* —3F **3**
Mullard Dri. *W'nsh* —6D **22**
Murcott Ct. *W'nsh* —6C **22**
Murcott Rd. *W'nsh* —6C **22**
Murcott Rd. E. *W'nsh*
—6D **22**
Myton. —3F 21
Myton Cres. *Warw* —3F **21**
Myton Crofts. *Lea S*
—2H **21**
Myton Gdns. *Warw* —3E **21**
Myton La. *Warw* —3F **21**
Myton Rd. *Warw & Lea S*
—3E **21**

Napton Dri. *Lea S* —5C **16**
Narborough Ct. *Lea S*
—1H **21**
Narrow La. *S Avon* —2H **9**
Nashes, The. *Cliff C* —6G **9**
Nash's House.
—1A **10** (5D **2**)
Neilston St. *Lea S* —2C **22**
Nelson Av. *Warw* —1E **21**
Nelson La. *Warw* —1D **20**
Nevill Clo. *Lea S* —3B **22**
Neville Gro. *Warw* —6D **14**
Newbold Comyn Country Pk.
—1E **23**
Newbold Pl. *Lea S* —1B **22**
Newbold St. *Lea S* —1C **22**
Newbold Ter. *Lea S* —1B **22**
Newbold Ter. E. *Lea S*
—1C **22**
New Broad St. *S Avon*
—2H **9**
New Brook St. *Lea S*
—1A **22**
Newburgh Cres. *Warw*
—1C **20**
Newbury Clo. *Lea S* —3F **23**
New Cotts. *S Avon* —1G **9**
Newdigate. *Lea S* —4E **23**

Newgale Wlk. *Lea S* —2E **23**
Newland Rd. *Lea S* —4E **17**
Newmarket Clo. *S Avon*
—2G **9**
Newnham Rd. *Lea S*
—4D **16**
New Place & Great Garden.
—1A **10** (5D **2**)
New River Wlk. *Lea S*
—1H **21**
New Rd. *N Lin* —6A **18**
Newsholme Clo. *Warw*
—6C **14**
New St. *Cubb* —2G **17**
New St. *Lea S* —2C **22**
New St. *S Avon* —2H **9**
New St. *Tidd* —5E **7**
New St. *Warw* —3C **20**
Nicholson Clo. *Warw*
—6D **14**
Noble Clo. *Warw* —4B **20**
Norfolk St. *Lea S* —6C **16**
Normanby Meadows. *W'nsh*
—1C **28**
Normandy Clo. *H Mag*
—2G **19**
North Clo. *Lea S* —2G **17**
Northcote St. *Lea S* —2D **22**
Northgate. *Warw* —2C **20**
Northgate St. *Warw* —2C **20**
Northumberland Rd. *Lea S*
—4A **16**
N. Villiers St. *Lea S* —6C **16**
Northway. *Lea S* —3C **22**
Norton Curlieu La. *Lwr N*
—3A **18**
Norton Dri. *Warw* —5C **14**
Norton Lindsey. —6A 18
Nunhold Bus. Cen. *Hatt*
—1A **18**
Nursery La. *Lea S* —4C **22**

Oak Ct. *H'cte* —1A **28**
Oakfield Ho. *Lea S* —5B **16**
Oakleigh Rd. *S Avon* —4G **5**
Oakwood Rd. *Bis T*
(in two parts) —6H **27**
Oakridge Rd. *Lea S* —3E **17**
Oak Rd. *Tidd* —6E **7**
Oaks, The. *Lea S* —1H **21**
Oak Tree Clo. *Lea S* —5C **16**
Oakwood Gro. *Warw*
—6E **15**
Oberon Clo. *H'cte* —5A **23**
Offa Rd. *Lea S* —3D **22**
Offchurch La. *Rad S*
—3H **23**
Offchurch Rd. *Cubb* —2F **17**
Ogmore Rd. *Lea S* —2D **22**
Oken Ct. *Warw* —2B **20**
Oken Rd. *Warw* —1B **20**
Old Budbrooke Rd. *H Mag*
—3E **19**
Old Milverton. —4G 15
Old Milverton La. *Lea S*
—4G **15**
Old Milverton Rd. *Lea S*
—4G **15**
Old Pound. *Warw* —2C **20**

Old Red Lion Ct. *S Avon*
—1A **10** (4F **3**)
Old School La. *H Hill*
—5E **19**
Old School La. *Wilm* —1A **4**
Old School M. *Lea S*
—4D **16**
Old Sq. *Warw* —3C **20**
Old Sq., The. *Shot* —1F **9**
Old Stone Yd. *Lea S*
—6A **16**
Old Town. *S Avon* —1H **9**
Old Town M. *Old T* —2H **9**
Old Tramway Wlk. *S Avon*
—1B **10** (4G **3**)
(in three parts)
Old Warwick Rd. *Lea S*
—2A **22**
Olympus Av. *Tach P*
—4H **21**
Onslow Cft. *Lea S* —5B **16**
Ophelia Dri. *H'cte* —5A **22**
Orchard Ct. *Lea S* —5B **16**
Orchard Pl. *Cliff C* —6G **9**
Orchards, The. *Wilm* —1A **4**
Orchard, The. *Warw*
—4D **20**
Orchard Way. *S Avon*
—1G **9**
Orrian Clo. *S Avon* —4G **5**
Orsino Clo. *H'cte* —1A **28**
Osborne Ct. *W'nsh* —5C **22**
Oswald Rd. *Lea S* —1H **21**
Othello Av. *H'cte* —6B **22**
Overberry Orchard. *Lea S*
—4H **27**
Overell Gro. *Lea S* —5H **15**
Overtons Clo. *Rad S*
—4H **23**
Oxford Pl. *Lea S* —6B **16**
Oxford Row. *Lea S* —6B **16**
Oxford St. *Lea S* —6B **16**
Oxstalls Cotts. *S Avon*
—3D **6**

Packington Pl. *Lea S*
—2C **22**
Packmores. —1D 20
Packmore St. *Warw* —1D **20**
Packsaddle Hill. *S Avon*
—1E **7**
Packwood Clo. *Lea S*
—4E **23**
Paddock La. *S Avon* —2G **9**
Paddock Pl. *S Avon* —2H **9**
Paddocks, The. *Warw*
—2D **20**
Padmore Ct. *Lea S* —3D **22**
Padua. *S Avon* —1F **3**
Palmer Ct. *S Avon* —5F **3**
Palmer Rd. *W'nsh* —5D **22**
Pampas Clo. *S Avon* —4G **5**
Parade. *Lea S* —6B **16**
Paradise St. *Warw* —1D **20**
Park Clo. *Wilm* —1A **4**
Park Ct. *S Avon* —5G **5**
Park Dri. *Lea S* —2A **22**
Parkes Ct. *Warw* —2B **20**
Parkes St. *Warw* —2B **20**

Parklands Av. *Lea S* —3E **17**
Park Rd. *Lea S* —3C **16**
Park Rd. *S Avon* —5H **5**
Park Rd. *Warw* —1D **20**
Park St. *Lea S* —6B **16**
Parmiter Ho. *Lea S* —5B **16**
Parr Clo. *Warw* —3H **21**
Parsonage Clo. *Bis T*
—4A **28**
Partridge Rd. *S Avon* —4E **5**
Pattens Rd. *Warw* —6E **15**
Payne Clo. *Lea S* —5C **16**
Payton Ct. *S Avon* —2E **3**
Payton St. *S Avon*
—6A **6** (2E **3**)
Peacocks, The. *Warw*
—1H **25**
Peel Rd. *Warw* —1C **20**
Pembroke Clo. *Warw*
—6D **14**
Pendine Ct. *Lea S* —1H **21**
Penfold Clo. *Bis T* —4A **28**
Penns Clo. *Lea S* —2G **17**
Pennystone Clo. *Lea S*
—3F **23**
Penrith Clo. *Lea S* —5G **15**
Percy Rd. *Warw* —1C **20**
Percy St. *S Avon* —5A **6**
Percy Ter. *Lea S* —6H **15**
Pheasant Clo. *S Avon*
—5E **5**
Phillippes Rd. *Warw*
—6D **14**
Pickard St. *Warw* —2E **21**
Piers Clo. *Warw* —1D **20**
Pimlico La. *A'ton* —1F **11**
Pine Clo. *S Avon* —2F **9**
Pine Ct. *Lea S* —4D **16**
Pinehurst. *Cubb* —1G **17**
Plantagent Pk. *H'cte*
—6A **22**
Plato Clo. *Tach P* —4H **21**
Pleasant Way. *Lea S*
—5C **16**
Plover Clo. *S Avon* —4F **5**
Plymouth Pl. *Lea S* —2C **22**
Poet's Arbour. *S Avon*
—5E **3**
Portland Ct. *Lea S* —6B **16**
Portland M. *Lea S* —1B **22**
Portland Pl. E. *Lea S*
—1B **22**
Portland Pl. W. *Lea S*
—1A **22**
Portland Row. *Lea S*
—1A **22**
Portland St. *Lea S* —1B **22**
Portway Clo. *Lea S* —3F **23**
Potterton Works. *Warw*
—1G **21**
Pound La. *Lea S* —4C **16**
Powell Clo. *Bis T* —4A **28**
Powers Ct. *Lea S* —6B **16**
Precinct, The. *Warw*
—6E **15**
Price Rd. *Lea S* —3G **17**
Primrose Hill. *Warw*
—6A **14**
Prince Regent Ct. *Lea S*
—3B **22**

Prince's Dri. *Lea S* —1H **21**
Prince's St. *Lea S* —6D **16**
Priory M. *Warw* —2C **20**
Priory Rd. *Warw* —2C **20**
Priory St. *Lea S* —3B **22**
Priory Ter. *Lea S* —2B **22**
Priory Wlk. *Warw* —2D **20**
Private Rd. *Warw* —1H **19**
Prospect Rd. *Lea S* —4D **22**
Prospero Dri. *H'cte* —6A **22**
Puckerings La. *Warw*
—3C **20**
Purcell Clo. *Lea S* —1C **22**
Purser Dri. *Warw* —5H **19**
Purton M. *Lea S* —3E **23**

Quail Clo. *B'ton* —5E **5**
Quarry Clo. *Leek W* —1D **14**
Quarry Fields. *Leek W*
—1D **14**
Quarry St. *Lea S* —1G **21**
Queen's Ct. *S Avon* —2H **9**
Queen's Pk. *Lea S* —3A **22**
Queens Sq. *Warw* —3B **20**
Queen St. *Cubb* —2F **17**
Queen St. *Lea S* —6C **16**
Queensway. *Lea S* —3A **22**
Queensway Trad. Est. *Lea S*
—3A **22**
Quiney's Rd. *S Avon* —1F **9**
Quinton Clo. *Hatt P* —4D **12**

Radbrook Way. *Lea S*
—3F **23**
Radcliffe Gdns. *Lea S*
—3C **22**
Radford Hall. *Rad S* —3G **23**
Radford Rd. *Lea S* —2C **22**
Radford Semele. —4G 23
Rainsford Clo. *Cliff C* —6H **9**
Ramsey Rd. *Lea S* —2D **22**
Randolph Clo. *Lea S* —3E **23**
Ranelagh St. *Lea S* —3C **22**
Ranelagh Ter. *Lea S* —3B **22**
Range Mdw. Clo. *Lea S*
—4G **15**
Ravensdale Av. *Lea S*
—5G **15**
Rawlinson Rd. *Lea S*
—5D **16**
Rayford Cvn. Pk. *S Avon*
—5C **6**
Raynsford Wlk. *Warw*
—6B **14**
Reading Ct. *S Avon* —5D **6**
Reardon Ct. *Warw* —6C **14**
Rectory Clo. *W'nsh* —5D **22**
Redcar Clo. *Lea S* —3D **16**
Redland Rd. *Lea S* —4D **22**
Redlands Cres. *S Avon*
—6E **5**
Redwing Clo. *S Avon* —4F **5**
Regal Rd. *S Avon* —5H **5**
Regency Arc. *Lea S* —1B **22**
Regency M. *Lea S* —1C **22**
Regent Gro. *Lea S* —1B **22**
Regent Pl. *Lea S* —2C **22**
Regent St. *Lea S* —2C **22**

Regimental Mus. of the
Queen's Own Hussars.
—3C **20**
Regnier Pl. *H'cte* —1B **28**
Remburn Gdns. *Warw*
—1D **20**
Richards Gro. *Lea S* —4C **22**
Richardson Clo. *Warw*
—6D **14**
Rich Clo. *Warw* —2E **21**
Rideswell Gro. *W'nsh*
—2C **28**
Ridgeley Clo. *Warw* —5C **14**
Ridgeway, The. *Warw*
—6E **15**
Ridgewood Clo. *Lea S*
—6G **15**
Ridgway, The. *Wilm* —2A **4**
Rigby Clo. *H'cte I* —5H **21**
Rinill Gro. *Lea S* —3F **23**
Risdale Clo. *Lea S* —5H **15**
River Clo. *Lea S* —1H **21**
Rivermead Dri. *Tidd* —5E **7**
Riversdale. *Lea S* —1A **22**
Riverside. *S Avon* —5C **6**
Riverside Wlk. *Warw*
—3D **20**
Riversleigh Rd. *Lea S*
—6G **15**
Robinia Clo. *Lea S* —6D **16**
Robins Gro. *Warw* —5H **19**
Rochford Ct. *Lea S* —2A **22**
Rock Mill La. *Lea S* —6G **15**
Roe Clo. *Warw* —1D **20**
Rogers Way. *Warw* —5H **19**
Romeo Arbour. *H'cte*
—6A **22**
Rookes Ct. *S Avon* —1C **2**
Rosefield Pl. *Lea S* —1B **22**
Rosefield St. *Lea S* —1B **22**
Rosefield Wlk. *Lea S*
—1B **22**
Rosewood Cres. *Lea S*
—5D **16**
Rotherfield Clo. *Lea S*
—2D **22**
Rother St. *S Avon*
—1H **9** (6B **2**)
Rothwell Rd. *Warw* —6A **14**
Rowan Clo. *S Avon* —4H **5**
Rowan Dri. *Warw* —1D **20**
Rowborough Clo. *Hatt P*
—5E **13**
Rowley Cres. *S Avon* —5A **6**
Rowley Rd. *W'nsh* —6C **22**
Roxburgh Cft. *Lea S*
—2D **16**
Royal Leamington Spa.
—2C **22**
Royal Leamington Spa
Tourist Info. Cen. —1B **22**
Royal Priors Shop. Cen.
Lea S —1B **22**
RSC Theatre & Collection.
—1A **10** (5F **3**)
Rugby Rd. *Lea S* —6H **15**
Rugby Rd. *Lea S & W Weth*
—2E **17**
Rushbrook Rd. *S Avon*
—3C **10**

Rushmore Pl.—Stratford Rd.

Rushmore Pl. *Lea S*
—2D **22**
Rushmore St. *Lea S*
—2D **22**
Russell St. *Lea S* —6B **16**
Russell Ter. *Lea S* —2C **22**
Ryder Clo. *H Mag* —3F **19**
Rye Clo. *S Avon* —4G **5**
Rye Flds. *Bis T* —4H **27**
Ryland Clo. *Lea S* —3E **23**
Ryland Rd. *Barf* —4A **26**
Ryland St. *S Avon* —2H **9**
Rylstone Way. *Warw*
—6C **14**
Ryon Hill. *S Avon* —2E **7**

Sackville Clo. *S Avon*
—5E **5**
Sadler Clo. *S Avon* —3H **5**
Saffron Mdw. *S Avon*
—2H **9**
Saffron Wlk. *S Avon* —2H **9**
St Albans Clo. *Lea S*
—5G **15**
St Andrew's Cres. *S Avon*
—1G **9**
St Andrew's Rd. *Lea S*
—2D **16**
St Ann's Clo. *Lea S* —2E **23**
St Brides Clo. *Lea S*
—3E **23**
Saintbury Clo. *S Avon*
—2D **10**
St Catherine's Cres. *W'nsh*
—6B **22**
St Chads Rd. *Bis T* —4H **27**
St Christopher's Clo. *Warw*
—1B **20**
St Davids Clo. *Lea S*
—2E **23**
St Ediths Grn. *Warw*
—1F **21**
St George's Clo. *S Avon*
—5F **5**
St Georges Rd. *Lea S*
—3B **22**
St Govans Clo. *Lea S*
—3E **23**
St Gregory's Rd. *S Avon*
—6A **6** (1G **3**)
St Helens Rd. *Lea S*
—4B **22**
St James Mdw. Rd. *Lea S*
—5G **15**
St Johns. *Warw* —2D **20**
St John's Clo. *S Avon*
—2H **9**
St John's Ct. *S Avon* —2H **9**
St John's Ct. *Warw* —2D **20**
St John's House. —2D **20**
St Johns Rd. *Lea S* —3C **22**
St Laurence Av. *Warw*
—4B **20**
St Margaret's Rd. *Lea S*
—4D **22**
St Mark's La. *Lea S* —6A **16**
St Mark's M. *Lea S* —6A **16**
St Mark's Rd. *Lea S*
—6H **15**

St Martin's Clo. *S Avon*
—1G **9**
St Marys Clo. *Warw* —1B **20**
St Mary's Cres. *Lea S*
—2D **22**
St Mary's Rd. *Lea S* —2D **22**
St Mary's Rd. *S Avon*
—5A **6**
St Mary's Ter. *Lea S*
—2D **22**
St Michaels Rd. *Warw*
—1A **20**
St Nicholas Chu. St. *Warw*
—3D **20**
St Nicholas Rd. *Rad S*
—4H **23**
St Nicholas Ter. *Rad S*
—5G **23**
St Paul's Clo. *Warw* —3B **20**
St Pauls Sq. *Lea S* —6C **16**
St Paul's Ter. *Warw* —3B **20**
St Peter's Rd. *Lea S*
—1B **22**
Saltisford. *Warw* —2B **20**
Saltisford Gdns. *Warw*
—1B **20**
Sanctus Ct. *S Avon* —2H **9**
Sanctus Dri. *S Avon* —2H **9**
Sanctus Rd. *S Avon* —2G **9**
Sandel Clo. *S Avon* —6G **5**
Sanders Ct. *Warw* —1G **21**
Sandfield Ct. *S Avon* —2H **9**
Sandfield Rd. *S Avon*
—2H **9**
Sandown Clo. *Lea S*
—3E **17**
Sandpiper Clo. *S Avon*
—4F **5**
Sandy La. *B'dwn* —1A **16**
Sandy Way. *Barf* —6A **26**
Sapphire Dri. *Lea S* —4B **22**
Sargeaunt St. *Lea S* —2B **22**
Satchwell Ct. *Lea S* —1B **22**
Satchwell Pl. *Lea S* —2C **22**
Satchwell Wlk. *Lea S*
—1B **22**
Saumur Way. *Warw* —3G **21**
Savages Clo. *Bis T* —4B **28**
Saxon Clo. *S Avon* —1B **10**
Saxon Meadows. *Lea S*
—5G **15**
Scar Bank. *Warw* —6C **14**
Scholars Ct. *S Avon* —3A **2**
Scholars La. *S Avon*
—1H **9** (5B **2**)
School La. *Rad S* —4G **23**
School La. *Tidd* —4E **7**
Scott Rd. *Lea S* —3D **22**
Seekings, The. *W'nsh*
—6D **22**
Semele Clo. *Rad S* —4G **23**
Seven Acre Clo. *Bis T*
—4H **27**
Severn Clo. *Lea S* —4E **17**
Severn Mdw. Rd. *S Avon*
—2H **9**
Sevincott Clo. *S Avon*
—5E **5**
Seymour Clo. *H Mag*
—3F **19**

Seymour Gro. *Warw*
—3H **21**
Seymour Rd. *S Avon* —2F **9**
Shakespeare Av. *Warw*
—4A **20**
Shakespeare Cen., The.
—2D **2**
Shakespeare Ct. *S Avon*
—2E **3**
Shakespeare's Birthplace.
—3D **2**
Shakespeare St. *S Avon*
—6A **6** (2C **2**)
Sharpe Clo. *Warw* —1C **20**
Sheepcote Clo. *Lea S*
—6C **16**
Sheep St. *S Avon*
—1A **10** (5E **3**)
Shelbourne Rd. *S Avon*
—5D **4**
Sheldon Gro. *Warw* —6D **14**
Shelley Av. *Warw* —5A **20**
Shelley Rd. *S Avon* —2B **10**
Sherbourne. —3F **25**
Sherbourne Ct. *Sher* —2F **25**
Sherbourne Pl. *Lea S*
—5C **16**
Sherbourne Ter. *Lea S*
—6C **16**
Sherwood Wlk. *Lea S*
—3E **17**
Shipston Rd. *S Avon*
—5A **10**
Shires Retail Pk., The. *Warw*
—3H **21**
Shopping Cen., The. *Lea S*
—4D **22**
Shottery. —6E **5**
Shottery. *Shot* —1F **9**
Shottery Rd. *S Avon* —1F **9**
Shrieve's Wlk. *S Avon*
—1A **10**
Shrieve's Wlk. Shop. Cen.
S Avon —5F **3**
Shrubland St. *Lea S* —3B **22**
(in two parts)
Shuckburgh Gro. *Lea S*
—5D **16**
Shylock Gro. *H'cte* —1A **28**
Sidelands Rd. *S Avon* —6E **5**
Silver Birch Gro. *Lea S*
—4B **22**
Slade Hill. *H Mag* —2F **19**
Slade Mdw. *Rad S* —4G **23**
Slingates Rd. *S Avon* —5A **6**
Smith St. *Lea S* —2B **22**
Smith St. *Warw* —2C **20**
Smythe Gro. *Warw* —6C **14**
Snitterfield La. *N Lin*
—1A **24**
Solway Clo. *Lea S* —3E **23**
Somers Pl. *Lea S* —1A **22**
Southam Rd. *Rad S*
—3G **23**
Southborough Ter. *Lea S*
—3C **22**
Southbourne Ho. *S Avon*
—2F **3**
Southern La. *S Avon*
—2A **10**

Southfields. *Lea S* —4C **16**
S. Green Dri. *S Avon* —1E **9**
Southlea Av. *Lea S* —3A **22**
Southlea Clo. *Lea S* —3A **22**
Southorn Ct. *Lea S* —4F **17**
South Ter. *W'nsh* —6C **22**
South Vw. *H Mag* —3G **19**
S. View Rd. *Lea S* —2E **17**
Southway. *Lea S* —4C **22**
Spartan Clo. *Warw* —5A **22**
Spa Vw. *W'nsh* —5D **22**
Spencer Ct. *S Avon* —2G **9**
Spencer St. *Lea S* —2B **22**
Spencer Yd. *Lea S* —2B **22**
Spilsbury Clo. *Lea S*
—5A **16**
Spinney Hill. *Warw* —6E **15**
Spinney, The. *Lea S* —6H **15**
Spring La. *Rad S* —4G **23**
Spring Pool. *Warw* —2C **20**
Springwell Rd. *Lea S*
—3F **23**
Spruce Gro. *Lea S* —4B **22**
Square St. *Lea S* —6B **16**
Squirhill Pl. *Lea S* —2D **22**
Stamford Gdns. *Lea S*
—6A **16**
Standlake M. *Lea S* —3E **23**
Stand St. *Warw* —3B **20**
Stanley Ct. *Lea S* —2E **23**
Stannells Clo. *S Avon*
—4E **9**
Stanton Rd. *Lea S* —3E **23**
Stanton Wlk. *Warw* —6B **14**
Starmer Pl. *Hatt* —4A **12**
Station App. *Lea S* —2B **22**
Station Av. *Warw* —2D **20**
Station Rd. *S Avon*
—6H **5** (3A **2**)
Station Rd. *Warw* —2D **20**
Station Rd. *Wilm* —1A **4**
Staunton Rd. *Lea S* —4C **22**
Stephenson Clo. *Lea S*
—6G **15**
Stidfall Gro. *Lea S* —3F **23**
Stirling Av. *Lea S* —2D **16**
Stockton Gro. *Lea S*
—5C **16**
Stonehouse Clo. *Lea S*
—2F **17**
Stone Ho. M. *Leek W*
—1D **14**
Stoneleigh Rd. *B'dwn*
—2B **16**
Stoneway Gro. *Lea S*
—3F **23**
Stoney La. *Hatt* —3A **12**
Strachey Av. *Lea S* —5A **16**
Stratford Brass Rubbing
Cen. —1A **10**
Stratford Butterfly &
Jungle Safari.
—1B **10** (6H **3**)
Stratford Ct. *S Avon* —2C **2**
Stratford Northern By-Pass.
S Avon —5C **4**
Stratford Rd. *Sher & Warw*
—3E **25**
Stratford Rd.
S Avon & H Lucy —1F **7**

Stratford Shire Horse Cen.
—4A 10
Stratford Teddy Bear Mus.
—6H 5 (3B 2)
Stratford-upon-Avon.
—6A 6 (3E 3)
Stratford-upon-Avon Race
Course. —3G 9
Stratford-upon-Avon
Tourist Info. Cen.
—6A 6 (3G 3)
Strathearn Rd. Lea S
—6A 16
Stretton Cres. Lea S
—4D 22
Stuart Clo. Warw —4B 20
Stuart Ct. Lea S —6A 16
Styles Clo. H Mag —2F 19
Styles Clo. Lea S —2C 22
Sudbury Clo. Lea S —5E 17
Suffolk St. Lea S —6C 16
Summer Ct. S Avon —1E 3
Summerton Rd. W'nsh
—6C 22
Sumner Clo. H Mag —3F 19
Sunshine Cotts. Shot —1F 9
Surrey Ct. Warw —1C 20
Sussex Ct. Warw —1C 20
Sutherland Clo. Warw
—6C 14
Swadling St. Lea S —3B 22
Swain Crofts. Lea S —3D 22
Swallow Clo. S Avon —4A 6
Swanfold. Wilm —1A 4
Swans Clo. Wilm —1A 4
Swan's Nest La. S Avon
—1B 10 (6H 3)
Swan St. Lea S —6C 16
Swan St. Warw —3C 20
Swan Theatre. —6F 3
Swift Rd. S Avon —4A 6
Sycamore Clo. S Avon
—4H 5
Sycamore Gro. Warw
—6E 15
Sydenham. —4E 23
Sydenham Dri. Lea S
—3D 22
Sydenham Ind. Est. Lea S
—3D 22

Tachbrook Ct. Lea S
—3B 22
Tachbrook Mallory. —3B 28
Tachbrook Pk. Bus. Cen.
Tach P —4A 22
Tachbrook Pk. Dri. Warw
—3H 21
Tachbrook Rd. Lea S
—6B 22
Tachbrook St. Lea S —3C 22
Talbot Ct. Lea S —6C 16
Talbot Rd. S Avon —5A 6
Tamora Clo. H'cte —6H 21
Tasker's Way. S Avon
—1A 10 (4D 2)
Tatnall Gro. Warw —1C 20
Tavern La. Shot —1F 9
Tavistock St. Lea S —6B 16

Taylor Av. Lea S —5D 16
Taylor Ct. Warw —2B 20
Teal Clo. S Avon —4E 5
Telford Av. Lea S —2D 16
Templars, The. Warw
—4D 20
Temple Gro. Warw —4B 20
Tennyson Av. Warw —5A 20
Tennyson Rd. S Avon
—3B 10
Terrett Ct. S Avon
—1A 10 (4D 2)
Terry Av. Lea S —6G 15
Theatre St. Warw —3B 20
Thomas St. Lea S —6C 16
Thornley Clo. Rad S —4H 23
Thorn Stile Clo. Cubb
—1G 17
Thornton Clo. Wood P
—6D 14
Three Cornered Clo. Cubb
—1G 17
Thurmaston Ct. Lea S
—5B 16
Thursfield Rd. Lea S
—4D 16
Tibbits Ct. Warw —3C 20
Tiddington. —5E 7
Tiddington Ct. Tidd —5E 7
Tiddington Rd. S Avon
—1B 10
Tidmarsh Rd. Leek W
—1E 15
Tidmington Clo. Hatt P
—5E 13
Timon Vw. H'cte —6A 22
Timothy's Bri. Rd. S Avon
—4F 5
Timothy's Bri. Rd. Ind. Est.
S Avon —5F 5
Tink-A-Tank. Warw —3C 20
Titan Bus. Cen. Warw
—5A 22
Tithe Barn Clo. H Mag
—2F 19
Toll Ga. Clo. S Avon —6D 4
Tower Clo. S Avon —4A 6
Tower St. Lea S —2C 22
Townesend Clo. Warw
—6D 14
Townsend Rd. Tidd —6E 7
Tredington Pk. Hatt P
—5E 13
Tressel Cft. H'cte —1A 28
Trevelyan Clo. S Avon
(in two parts) —5E 5
Trevelyan Cres. S Avon
—5E 5
Trinculo Gro. H'cte —1B 28
Trinity Clo. Old T —2A 10
Trinity College. S Avon
—6C 2
Trinity M. Warw —2D 20
Trinity Pl. S Avon —1H 9
Trinity St. Lea S —6B 16
Trinity St. S Avon —2H 9
Trojan Bus. Cen. Warw
—5A 22
Troutbeck Av. Lea S —5G 15
Trueman Clo. Warw —1C 20

Tudor Ct. Warw —4B 20
Turner Clo. Warw —5H 19
Turpin Ct. Lea S —3B 22
Twycross Wlk. Warw
—6B 14
Tybalt Clo. H'cte —5H 21
Tyler St. S Avon
—6A 6 (2E 3)

Ullswater Av. Lea S
—5G 15
Union Rd. Lea S —6A 16
Union St. S Avon
—6A 6 (3E 3)
Union Wlk. Lea S —2C 22
Upper Billesley. —3A 4
Up. Grove St. Lea S —6A 16
Up. Hill St. Lea S —6C 16
Up. Holly Wlk. Lea S
—6C 16
Upper Milcote. —5G 9

Valentine Clo. S Avon
—2G 9
Valley Rd. Lill —4D 16
Valley Rd. Rad S —5G 23
Valley, The. Rad S —5G 23
Verden Av. Warw —5H 19
Verdon Pl. Barf —5A 26
Verdun Clo. W'nsh —1D 28
Vermont Gro. Lea S —3F 23
Verney Dri. S Avon —4H 5
Verney Gdns. S Avon
—4H 5
Vernon Clo. Lea S —4A 16
Verona. S Avon —2F 3
Vicarage Fld. Warw —1F 21
Vicarage La. Sher —2F 25
Vicarage Ri. Lea S —4A 28
Vicarage Rd. Lea S —4D 16
Victoria Bus. Pk. Lea S
—2C 22
Victoria Clo. S Avon
—6A 6 (1D 2)
Victoria Colonade. Lea S
(off Victoria Ter.) —2B 22
Victoria M. Warw —2B 20
Victoria Rd. Lea S —1A 22
Victoria St. Lea S —2A 22
Victoria St. Warw —2B 20
Victoria Ter. Lea S —1B 22
Villebon Way. W'nsh
—1C 28
Villiers St. Lea S —6C 16
Vincent Av. S Avon —5H 5
Vincent St. Lea S —6C 16
Vine La. Warw —1C 20
Viscount Clo. Lea S —3B 22
Vittle Dri. Warw —2B 20

Wackrill Dri. Lea S —4E 17
Wade Gro. Warw —5C 14
Wake Gro. Warw —4H 19
Waldron Ct. Lea S
—6A 6 (2D 2)
Walford Gro. Warw —6D 14
Walkers Rd. S Avon —4A 6

Wallace Ct. Warw —2B 20
Waller St. Lea S —5C 16
Waller Way. W'nsh —1C 28
Wallwin Ct. Warw —3B 20
Walnut Dri. Lea S —4D 16
Ward Gro. Warw —2G 21
Ward's Hill. N Lin —6A 18
Warmington Gro. Warw
—1H 19
Warneford M. Lea S
—2C 22
Warner Clo. Warw —6B 14
Warren Clo. Lea S —4B 16
Warwick. —3C 20
Warwick By-Pass. Barf
—2D 26
Warwick By-Pass. Warw
—4G 19
Warwick Castle. —3C 20
Warwick Ct. Lea S —6B 16
Warwick Ct. S Avon
—6A 6 (1F 3)
Warwick Cres. S Avon
—6B 6 (1H 3)
Warwick Doll Mus. —3C 20
Warwick Ho. S Avon —1C 2
Warwick New Rd. Lea S
—1G 21
Warwick Pl. Lea S —1H 21
Warwick Race Course.
—3A 20
Warwick Rd. B Hill & Sher
—6B 24
Warwick Rd. Leek W & Ken
—1D 14
Warwick Rd. S Avon
—6A 6 (3F 3)
Warwickshire Mus. —3C 20
Warwickshire Yeomanry
Mus. —3C 20
Warwicks, The. H Mag
—3F 19
Warwick St. Lea S —6A 16
Warwick Technology Pk.
Warw —4F 21
Warwick Ter. Lea S —6A 16
Warwick Tourist Info. Cen.
—3C 20
Wasdale Clo. Lea S —6H 15
Washbourne Rd. W'nsh
—6C 22
Wasperton La. Barf —6A 26
Waterloo Ct. Warw —1E 21
Waterloo Dri. S Avon
—2D 10
Waterloo Pl. Lea S —6B 16
Waterloo Ri. S Avon
—3D 10
Waterloo St. Lea S —2D 22
Watersfield Gdns. Lea S
—2E 23
Waterside. S Avon
—1A 10 (6E 3)
Watery La. Sher —2G 25
Wathen Rd. Lea S —5C 16
Wathen Rd. Warw —1C 20
Watson Clo. Warw —6C 14
Waverley Rd. Lea S —3C 22
Waverton M. Lea S —3E 23

Wavy Tree Clo.—Young Clo.

Wavy Tree Clo. *Warw*
—2B **20**
Weale Gro. *Warw* —6D **14**
Wedgnock Grn. *Warw*
—1B **20**
Wedgnock Ind. Est. *Warw*
—6H **13**
Wedgnock La. *Beau* —1E **13**
(in two parts)
Wedgnock La. *Warw*
—1A **20**
Weilerswist Dri. *W'nsh*
—5B **22**
Welcombe Cotts. *S Avon*
—5A **6**
Welcombe Hills Obelisk.
—2B **6**
Welcombe Hills Viewpoint.
—2B **6**
Welcombe Rd. *S Avon*
—6A **6** (1G **3**)
Welford Gro. *Hatt P* —4D **12**
Wellesbourne Gro. *S Avon*
—1H **9** (4A **2**)
Wellesbourne Rd. *A'ton*
—4F **7**
Wellesbourne Rd. *Barf*
—5H **25**
Wellington Rd. *Lea S*
—4D **16**
Welsh Clo. *Warw* —5C **14**
Welsh Rd. *Cubb & Off*
—4H **17**
Welton Rd. *Warw* —6B **14**
Wentworth Rd. *Lea S*
—3F **23**
Westbury Ct. *Warw* —2E **21**
Westcliff Dri. *Warw* —5C **14**
Western Rd. *S Avon*
—6H **5** (1A **2**)
Western Rd. Ind. Est.
S Avon —6H **5** (1A **2**)
Westfield Clo. *S Avon*
—4H **5**

Westgate Clo. *Warw*
—3B **20**
Westgate Ho. *Warw* —3C **20**
W. Green Dri. *S Avon*
—6D **4**
Westgrove Ter. *Lea S*
—1H **21**
Westham La. *Barf* —6G **25**
Westhill Rd. *B'dwn* —1C **16**
Westlea Rd. *Lea S* —3A **22**
Weston Clo. *Lea S* —3E **23**
Weston Ct. *Warw* —2D **20**
West St. *Lea S* —2C **22**
West St. *S Avon*
—2H **9** (6C **2**)
West St. *Warw* —4B **20**
W. View Rd. *Lea S* —2E **17**
Wharf Rd. *Avon I* —5H **5**
Wharf St. *Warw* —2E **21**
Wheathill Clo. *Lea S* —5A **16**
Whiteacre Rd. *Lea S*
—5C **16**
Whiteheads Ct. *Lea S*
—6B **16**
Whitethorn Dri. *Lea S*
—5D **16**
Whitfield Clo. *Tidd* —5E **7**
Whitmore Rd. *W'nsh*
—6C **22**
Whitnash. —5C 22
Whitnash Rd. *W'nsh*
—5D **22**
Whittington Clo. *Warw*
—1F **21**
Wickham Ct. *Lea S* —3D **16**
Wilkins Clo. *Barf* —5H **25**
Willes Rd. *Lea S* —6C **16**
Willes Ter. *Lea S* —1D **22**
Williams Rd. *Rad S* —5G **23**
William St. *Lea S* —1C **22**
William Tarver Clo. *Warw*
—2E **21**
Willow Clo. *W'nsh* —1D **28**
Willow Ct. *H'cte* —1A **28**

Willow Sheets Mdw. *Cubb*
—1G **17**
Willows N., The. *S Avon*
—6G **5**
Willows, The. *S Avon*
—1G **9**
Wilmcote. —1A 4
Wilnecote Gro. *Lea S*
—4D **22**
Wincott Clo. *S Avon* —2C **10**
Windermere Dri. *Lea S*
—5H **15**
Winderton Av. *Hatt* —5D **12**
Windmill Cft. *Lea S* —2F **17**
Windmill Hill. *Lea S* —2F **17**
Windmill Rd. *Lea S* —4B **22**
Windsor Ct. *Lea S* —1B **22**
Windsor Ct. *S Avon*
—6H **5** (3C **2**)
Windsor Pl. *Lea S* —1B **22**
Windsor St. *Lea S* —1B **22**
Windsor St. *S Avon*
—6H **5** (3C **2**)
Winslow Clo. *Lea S* —6G **15**
Winston Clo. *S Avon* —2F **9**
Winston Cres. *Lea S*
—4E **17**
Wise Gro. *Warw* —5C **14**
Wise St. *Lea S* —2B **22**
Wise Ter. *Lea S* —2B **22**
Woburn Clo. *Syd* —3F **23**
Woodbine Cotts. *Lea S*
—1A **22**
Woodbine St. *Lea S* —1A **22**
Woodcote Dri. *Leek W*
—1D **14**
Woodcote La. *Leek W*
—1D **14**
Woodcote Rd. *Lea S*
—4A **16**
Woodcote Rd. *Warw*
—1D **20**
Woodhouse St. *Warw*
—3B **20**

Woodland Rd. *S Avon*
—4H **5**
Woodloes Av. N. *Warw*
—6C **14**
Woodloes Av. S. *Warw*
—6C **14**
Woodloes La. *Guys C*
—4C **14**
Woodloes Park. —5B 14
Woodman Ct. *S Avon*
—5H **5**
Wood St. *Lea S* —1C **22**
Wood St. *S Avon*
—6H **5** (4D **2**)
Woodville Rd. *Warw*
—1C **20**
Woodward Clo. *W'nsh*
—1C **28**
Woodway. *H Mag* —1E **19**
Woodway Av. *H Mag*
—3F **19**
Wooton Ct. *Lea S* —5B **16**
Wootton Clo. *S Avon*
—1D **10**
Wordsworth Av. *Warw*
—4B **20**
World of Shakespeare.
—4F **3**
Wychwood Clo. *Bis T*
—4A **28**
Wye Clo. *Lea S* —4E **17**

Yardley Clo. *Warw* —5D **14**
Yarranton Clo. *S Avon*
—4G **5**
Yeomanry Clo. *Warw*
—2D **20**
Yew Tree Ct. *Lea S* —4B **22**
York Rd. *Lea S* —1B **22**
York Wlk. *Lea S* —1B **22**
Young Clo. *Warw* —4H **19**